COLECCIÓN SUPERACIÓN PERSONAL

Acción positiva
¡Ahora o nunca!
El amor a sí mismo
Automotivación
Cómo seducir a su hombre y ma[illegible] a su lado
Corazones valientes
Cuerpo de niña alma de mujer
Chocolatito espumoso para el alma
Don de dar, El
Don de la amistad, El
Don de la vida, El
En busca de lo humano
Frases célebres de Zig Ziglar
Libro de los amigos, El
Libro del amor, El
Líder que vive en ti, El
Magia de la sonrisa
Mensaje, El
Mi filosofía del triunfo
Motivar para ganar
Nada me detendrá
Para ser feliz
Pensando en ti
Piensa en grande
Por favor sé feliz en tu juventud
Por favor sé feliz en tu escuela
Por favor sea feliz
Por favor sea feliz con su religión
Por favor sea feliz con su trabajo
Por favor sea feliz en familia
Por favor sea feliz en pareja
Por favor sea una mujer feliz
Que me ha enseñado la vida, Lo
¿Qué onda con el sida?
Respuestas para vivir una sexualidad inteligente y segura
Sea feliz ya
Sí se puede
Sin miedo al amor
Tómelo con calma
Un tesoro inagotable
Vamos a ganar
Vamos al éxito
Vamos por todo
Vivir feliz
Volver a la niñez
Voz de la experiencia, La

COLECCIONES

Ejecutiva
Superación personal
Salud y belleza
Familia
Literatura infantil y juvenil
Con los pelos de punta
Pequeños valientes
¡Que la fuerza te acompañe!
Juegos y acertijos
Manualidades
Cultural
Medicina alternativa
Computación
Didáctica
New age
Esoterismo
Humorismo
Interés general
Compendios de bolsillo
Aura
Cocina
Tecniciencia
Visual
Arkano
Extassy
Inspiracional
Aprende y dibuja

Richard Denny

MOTIVAR *para* GANAR

(Este libro se editó anteriormente con el título de *Automotivación*)

Doctor Erazo 120
Colonia Doctores
México 06720, D.F.

Tel. 55 88 72 72
Fax 57 61 57 16

MOTIVAR PARA GANAR

Diseño de portada: Kathya Rodríguez Valle

ISBN: 970-643-361-9

ISBN (inglés): 0 7494 0965 7 (Hardback)
0 7494 0966 5 (Paperback)

Segunda reimpresión. Julio de 2003

NI UNA FOTOCOPIA MÁS

CONTENIDO

Para Linda, mi esposa y socia empresarial:
El propósito de ganar
El placer de compartir
La inspiración del éxito.

También para
Lyster, Walter, Giles, Julius y Stephen:
Una casa llena de hijos motivados.

RECONOCIMIENTO

Me gustaría agradecerle a Debbie Poulter
su entusiasmo, paciencia y ayuda en la redacción de este libro.
¡Siempre estaba motivada, a pesar
de encontrarse trabajando en un ambiente
francamente fuera de lo común!

NOTA AL LECTOR

Los motivadores pueden ser masculinos o femeninos.
En este libro se utilizan tanto "él" como "ella"
muy frecuentemente. Si se encuentra aquí
una preponderancia del pronombre masculino
es porque la lengua española no ofrece
un pronombre personal para referirse a ambos sexos.

INTRODUCCIÓN

Los estudios del Instituto de Manpower han afirmado que la palabra "motivación" se encuentra entre las seis más utilizadas en la redacción de documentos empresariales. También indican que la utilización de esta palabra, no significa necesariamente que sea comprendida.

El Grupo Grassroots realizó una encuesta que abarcaba a quinientas de las mil empresas más importantes del Reino Unido. La encuesta reveló que 95% de las compañías participantes opinaba que a su equipo profesional le faltaba motivación.

En una carta a la revista *Marketing Week*, Martin van Mesdag escribió lo siguiente:

> Motivar a otras personas es la tarea administrativa más importante que existe. Motivar implica la habilidad para comunicar, poner el ejemplo, desafiar, fomentar, obtener realimentación, involucrarse, delegar, desarrollar y entrenar, informar, resumir y ofrecer una recompensa justa.

La palabra "motivación" parece provocar reacciones extraordinarias entre muchas personas. Antes de escribir este libro discutí el concepto con mi familia, mis amigos y mis colegas. Obtuve la respuesta casi universal de "estoy perfectamente bien sin ella, ¡sea lo que sea!" o "definitivamente me interesa leer ese capítulo".

La motivación suele provocar la siguiente respuesta: todo el mundo quiere motivarse, sin embargo, no saben exactamente en qué consiste la auténtica motivación. Hemos visto en algunos anuncios del aviso oportuno que los aspirantes para un trabajo determinado deben estar automotivados. También hemos visto en el mundo deportivo los extraordinarios logros que están íntimamente relacionados con el poder de la motivación.

Los seres humanos, como todos sabemos, somos animales en busca de alcanzar nuestros objetivos, y parece que todos los asombrosos logros mundiales provienen de individuos sumamente motivados. Vivimos en un mundo cada vez más complejo, y tenemos la más refinada tecnología a nuestro alcance. Los desarrollos de la computación y los microchips, tanto como el progreso del procesamiento de datos electrónicos y de campos de creatividad, son realmente asombrosos.

Sin embargo, el mundo real en donde todos trabajamos es, evidentemente, un mundo de gente. Padres y madres engendran hijos; éstos son educados para luego seguir desarrollando sus propias profesiones. Forman a su vez relaciones personales, se casan y engendran más hijos. Así se repite el ciclo.

Muy pocos recibimos durante nuestros años de formación alguna instrucción acerca de nosotros mismos: la comunicación, la gente y, por supuesto, la motivación (o si la tuvimos, fue muy escasa).

Este libro trata de la gente y de su desempeño en los negocios, los deportes, los pasatiempos, las relaciones personales y el ambiente del hogar. Virtualmente todo el mundo es capaz de motivarse. Por otro lado, tenemos el deber de motivar a los demás.

CÓMO PUEDE AYUDARTE ESTE LIBRO

Al escribir este libro mi propósito fue ofrecer una lectura fácil. Un texto que puedas hojear para destacar las frases o párrafos que te atraen. Asimismo, su verdadero objetivo es eliminar el misterio que rodea a la palabra "motivación", tanto como presentar ideas sencillas y útiles que te pueden ayudar a lograr lo que sea de tu interés.

El éxito, como todos sabemos, procede de las personas. El éxito sobresaliente rara vez o nunca es alcanzado dentro del mundo empresarial por un individuo que trabaja solo. Se logra en equipo.

La mayor parte del contenido de este libro se podría clasificar como de "sentido común"; eso es muy posible y no pido disculpas por ello. El sentido común es una cualidad admirable de la que disfrutan aquellos que cuentan con ella e ignorada por los que no saben que existe.

Debido al ambiente en que vivimos, es decir, en un mundo de cambios acelerados y de exigencias y esperanzas cada vez más grandes, tal vez el requisito más importante para cada uno de nosotros sea el espíritu de superación. ¿Cómo podemos ser mejores? ¿Cómo podemos trabajar mejor? Si aceptamos que el mundo real en donde vivimos y trabajamos es un mundo de gente, entonces es fundamental alcanzar una comprensión más completa de nosotros mismos, de lo que nos motiva y de cómo podemos estar más motivados.

Aquellos que tienen la gran responsabilidad de administrar o liderear a otras personas deben contar con lo necesario para ayudarles a lograr sus propios anhelos o mostrarles cómo pueden motivarse para alcanzar un objetivo común.

No ha sido mi propósito compilar para su edición una serie de anécdotas acerca de la motivación. La historia humana está llena de los logros más asombrosos dentro del campo del esfuerzo, desde nuestro desempeño sobresaliente en el mundo deportivo hasta nuestro coraje al suscitarse una guerra; desde el éxito financiero del empresario hasta la erradicación verdaderamente maravillosa de una enfermedad grave; incluyendo los sacrificios personales que algunos han hecho para que la vida de los menos afortunados sea más soportable.

La motivación interna, ahora y siempre, ha sido la fuerza que subyace al éxito y a los logros del hombre. Para poder establecer o mantener tu propia motivación debes buscar esas historias del éxito por tu cuenta. La motivación no depende mucho de nuestra edad, raza o circunstancias. SE PUEDE, SI UNO CREE QUE PUEDE.

Si aplicas los principios que se presentan en este libro, seguramente serás una persona más motivada. Si eres el responsable de otras personas, te brindará una habilidad ampliada para alcanzar el éxito propio por medio del de los demás. Después de todo, el éxito es lo que tú decides.

CAPÍTULO I

La motivación en perspectiva

Si entiendes lo que motiva a los demás, tienes a tu disposición la herramienta más poderosa para tratar con la gente. En la introducción de este libro dijimos que la motivación al parecer es un requisito universal. Todo el mundo quiere estar motivado, sin embargo nadie parece saber exactamente en qué consiste tal asunto. El empleado dice que le gustaría estar más motivado. Al gerente o al líder les gustaría disponer de un grupo o equipo más motivado, mientras el jefe quiere dar empleos a personas motivadas. De hecho, existen exigencias aun mayores en las ocasiones en que se busca una persona automotivada para ocupar un puesto.

La motivación y el poder están tan íntimamente relacionados que bien se podría decir que una persona motivada tiene fuerza. A lo mejor has oído la extraordinaria historia de una madre de 65 centímetros que pesaba alrededor de 50 kilos. La mujer fue víctima de un terrible accidente automovilístico con su hijo a bordo. El coche cayó de lado y el niño quedó atrapado. Afortunadamente, la madre cayó lejos del coche y salió ilesa. Cuando llegaron los equipos de rescate encontraron a la madre cargando a su hijo, que tampoco estaba herido. Los dos fueron llevados al hospital para una revisión completa, durante la cual descubrieron que las vértebras de la espalda de la madre habían sido aplastadas. Aparentemente, había ocurrido lo siguiente: la madre levantó el auto y sacó al niño con los pies, dañándose la espalda con esta acción. En circunstancias normales no había manera de que la madre hubiera podido levantar aquel vehículo. No tenía la fuerza física ni la fuerza muscular. Sin embargo, tenía el *poder de la motivación*.

La base de toda motivación es la esperanza

Luego, la esperanza es un criterio para la motivación de las personas. Es la causa del efecto y el combustible que alimenta el motor. Sin la esperanza nadie se podría motivar nunca.

LA MOTIVACIÓN Y LA MANIPULACIÓN

Vamos a empezar con una distinción entre *motivación* y *manipulación* desde la perspectiva administrativa. La manipulación, según mi punto de vista muy simplista, parece tener que ver con convencer a alguien de que debe hacer algo porque *tú* quieres que lo haga; mientras que con la motivación se trata de convencer a alguien de que debe hacer algo porque *él* quiere hacerlo. He ahí la diferencia. Como suele decir mi gran amigo Frank Tijou: "La diferencia es lo que hace la diferencia."

En la historia empresarial reciente del Reino Unido, la administración ha operado según un régimen manipulador. La nación ha sufrido los efectos de una administración pobre y, en muchos casos, lamentable. Hubo incluso una época en que los gerentes británicos dejaron de comunicarse con sus empleados para dirigir sus palabras únicamente a los sindicatos. En todos mis años como asesor y capacitador empresarial, no puedo recordar ningún caso en que haya habido un conflicto entre un sindicato y una buena administración.

Ya he explicado por qué el mundo en el que trabajamos es un mundo de gente, sin embargo, en muchas organizaciones las personas logran desempeñar un papel administrativo o de liderazgo porque cumplieron bien con otro trabajo o tarea. Rara vez reciben capacitación respecto a cómo administrar a otras personas. Como ellos mismos fueron buenos o efectivos dentro de otro papel, sus colegas esperan que puedan asumir el título de gerente y que, gracias a algún derecho concedido por el cielo, sepan automáticamente cómo motivar, administrar y comunicarse con los demás. Así se repite el ciclo, porque muchos de esos nuevos gerentes imitan a sus predecesores. Siguen su ejemplo y su estilo manipulador de administración, los cuales se perpetúan.

¿Funciona? Claro que sí, pero no dura mucho, porque acaba con la confianza y pone a todos en la situación de etiquetar a "ellos contra nosotros". Un estilo manipulador aplicado a la administración de personal no crea un estado ideal, en que los gerentes jalen parejo con los demás para lograr objetivos comunes y compartidos. Por eso resulta inocente pedir que solamente personas automotivadas asistan a las entrevistas, y a la vez esperar que el aspirante exitoso reaccione bien a la manipulación una vez que obtenga el puesto.

La motivación, como hemos dicho, consiste en convencer a alguien de que debe hacer algo porque él quiere hacerlo. Eso también se aplica a nosotros mismos: si de veras *queremos* hacer algo, por supuesto que estaremos más motivados. Si de veras *no queremos* hacer algo, por supuesto que careceremos de automotivación. Por eso, en el curso de este libro veremos y discutiremos la metodología, los principios y las técnicas que se utilizan para establecer no sólo tu propia automotivación, sino también la motivación ajena; la de aquellos con quienes entras en contacto.

Si vamos a poner en perspectiva el concepto de motivación, también debemos distinguir entre *motivación de actitud* y *motivación de incentivo*.

Todos conocemos el estilo de motivación que hace hincapié en la zanahoria atada a un palito. Como ésta todavía sigue siendo la perspectiva que muchos poseen acerca de este tema tan fascinante, vamos a distinguir entre las dos vertientes.

MOTIVACIÓN DE ACTITUD

La motivación de actitud tiene que ver con la manera en que la gente piensa y siente las cosas. Es la confianza en uno mismo, la creencia en uno mismo y la actitud que tenemos sobre la vida, sea ésta positiva o negativa. Es cómo nos sentimos acerca del futuro y cómo reaccionamos ante el pasado. Todos tenemos que asegurarnos de vez en cuando de que tenemos la actitud correcta: trataremos este asunto con más detalle después.

MOTIVACIÓN DE INCENTIVO

La motivación de incentivo ocurre cuando una persona o un equipo recibe recompensa por una actividad cumplida. Podemos resumirlo así: "Haces esto y recibes aquello". En el capítulo 10 detallaremos más acerca de la motivación de incentivo, es decir, los tipos de premios que pueden conducir a la gente a avanzar o convencer a la gente de esforzarse un poco más.

Es muy importante comprender la diferencia entre los dos tipos de motivación y aceptar que ambos son más efectivos cuando están trabajando simultáneamente.

EL AMBIENTE ADECUADO

Conforme vayamos viendo las técnicas para establecer la motivación y aplicar la mejor perspectiva al tema en cuestión, es fundamental comprender que tanto para un individuo como para un equipo o grupo de personas, la motivación sólo cobra efecto dentro del ambiente adecuado.

Por ejemplo, un gerente puede motivar a un equipo de personas con la introducción de una competencia o programa de incentivos que bien puede haberse formulado adecuadamente. Sin embargo, si el ambiente dentro del cual está operando el equipo no conduce a una relación armoniosa; es decir, si hay grilla, falta de confianza o un ambiente deprimente, cualquier incentivo o intento de aproximación motivadora no tendrá ningún efecto.

Por eso, antes que nada debemos revisar el ambiente: ¿es un ambiente que nos haga sentir motivados? Si eres un líder, ¿el ambiente es adecuado para motivar a tu gente? Tomemos como ejemplo las instalaciones de la oficina. ¿Funciona el equipo? ¿Hace demasiado calor o demasiado frío? ¿Está limpia y ordenada? ¿Conduce al trabajo eficiente o existen otros factores que inhiben el rendimiento?

Para ser un gerente efectivo y para motivar a los demás, uno debe disponer de o desarrollar ciertas habilidades de liderazgo. Eso es obvio, sin embargo, vale la pena repetirlo.

En lo personal, me encantan algunos de los dichos populares de la lengua inglesa. He aquí un buen ejemplo:

> *Cuando los líderes van hacia adelante,*
> *los demás seguirán después.*

Es evidente que la gente imita a sus semejantes. Por eso, uno no puede distinguir entre un estilo de liderazgo y sus resultados motivadores. "Poner un buen ejemplo" ha sido el consejo para los líderes desde los tiempos más antiguos.

LA PERSONA MOTIVADA

Ahora bien, vamos a crear la imagen de una persona motivada. *Primero*, tanto como en otras formas de comunicación, tomemos en cuenta la apariencia de una persona a primera vista. Una persona motivada seguramente tendrá una apariencia arreglada, su ropa estará planchada y bien lavada y sus zapatos estarán boleados. Luego, su apariencia exterior indica que es una persona que se cuida a sí misma.

Durante varios años, una de mis compañías administró un equipo de ventas por teléfono muy exitoso. Se impuso un estándar y exigimos que los empleados de televentas llegaran al trabajo muy arreglados, con buenos cortes de pelo, y que las mujeres se pusieran maquillaje. Descubrimos que los resultados exitosos se hallaban en relación directa con la motivación del equipo de televentas. Como tenían una buena impresión de sí mismos, mejoraron en términos de producción, ventas y éxitos.

Uno también debe tomar en cuenta la manera en que camina la gente. Tengo un buen amigo que mira por la ventana de la oficina mientras llegan los candidatos para una entrevista. Virtualmente decide si les dará el puesto o no según cómo estén caminando. Me dice que una persona que camina con intención y velocidad es mejor empleado que una persona que camina perezosamente, con los hombros caídos. ¿Deambulan sus compañeros de trabajo con las manos en los bolsillos, o exhiben un paso vivo, con los brazos moviéndose para mejor propulsión?

Segundo: el lenguaje corporal transmite la imagen de una persona entusiasta. Definitivamente, una sonrisa, unos ojos que brillan y una expresión positiva en la cara pueden transmitir la motivación de un individuo, tanto como el resto del lenguaje corporal. Los que estudian este lenguaje afirman que en la región occidental de Europa la gente se comunica con aproximadamente 40 mil palabras y sonidos. Diariamente solemos emplear solamente 4 mil.

Las señales del lenguaje corporal transmitidas por la cara son alrededor de 15 mil. Estas estadísticas nos enseñan que la mayoría de las personas son capaces de controlar lo que dicen. Por eso, cuando el lenguaje corporal entra en conflicto con la palabra hablada, podemos estar casi seguros de que el primero transmitirá la información correcta, debido al número inmenso de señales.

Así que si alguien afirma que se siente bien de verdad, y tiene una expresión de desgano o unos hombros caídos, sabemos que no anda tan bien como dice.

Finalmente, ¿cómo se comunica una persona motivada? Con entusiasmo. Una persona motivada habla del futuro, sobre lo que va a hacer o sus planes para el futuro. El pasado es utilizado como una experiencia que nos ayuda a reconocer oportunidades y convertirlas en éxitos. La persona motivada empeña muchas ganas en su vida, por eso siempre es un placer estar con él o con ella.

Sobre todo, una persona motivada es alguien que fácilmente puede ser descrita como una persona positiva. Es decir, demuestra una actitud que:

- Es positiva;
- Está motivada por un propósito;
- Espera tener éxito.

Eso, a la larga, retribuye en energía. Las personas motivadas parecen tener una cantidad abundante de energía. Existe un dicho al respecto: "Si quieres que algo se cumpla, pídeselo a una persona que siempre esté ocupada."

PREMIOS=RESULTADOS

Para terminar este capítulo me gustaría poner a la motivación en perspectiva a partir de un comentario breve acerca del excelente libro de Michael le Boeuf titulado *How to Motivate People*, en el cual describe el principio de administración más importante del mundo, que es el siguiente:

> Cuando premias una forma de comportamiento, recibes más de él. No recibes lo que esperas, lo que pides, lo que anhelas o lo que ruegas. Obtienes lo que premias.

Luego, el principio de administración más importante sugiere que las cosas que se premian son las que se cumplen. Así que, como gerente o líder de otras personas, debes detenerte y hacerte la siguiente pregunta: ¿qué es lo que reconozco y premio? Veremos este punto más detalladamente en el capítulo 8, que aborda tanto la motivación personal como la del equipo o grupo.

Si no logramos premiar el comportamiento adecuado, lo más probable es que obtengamos resultados inadecuados.

RECORDATORIOS DE BOLSILLO

- La esperanza es la base de toda motivación
- La motivación y la manipulación: hay que distinguir entre ellas
- Saber distinguir entre la motivación de actitud y la motivación de incentivo
- Buscar las características de personas motivadas.

"PALABRAS SABIAS"

La idea generalizada de que el éxito mima a las personas porque se tornan vanidosas, ególatras y autocomplacientes es errónea. Al contrario, por lo general se tornan humildes, tolerantes y simpáticas. El fracaso es lo que hace a las personas crueles y amargas.

SOMERSET MAUGHAM

CAPÍTULO 2

Las leyes de la motivación

Los lectores de este libro que cuenten la gran responsabilidad de administrar, liderear y motivar a otras personas, deben hacerse dos preguntas: ¿Qué tipo de gerente me gustaría tener? Y por otra parte: ¿Soy ese tipo de persona? Esas son dos preguntas verdaderamente pertinentes y profundas que cada gerente debe hacerse con regularidad, porque debe establecer una base de principios que conducirán a un estilo de administración saludable. En este capítulo, veremos las leyes de la motivación. Uno podría argumentar que son *principios* en lugar de leyes, sin embargo, prefiero utilizar la palabra "leyes" porque implica que si las rompemos, nos impondrán un castigo.

LEY NÚMERO 1

Tenemos que sentirnos motivados para poder motivar

No es posible motivar a otra persona si no nos sentimos motivados. ¿Con qué tipo de gerente quisieras trabajar? ¿Un gerente que llega al trabajo antes que nadie, que es entusiasta, positivo, que siempre tiene alguna buena noticia para comunicarte, que es leal y enseña con su propio ejemplo? ¿Un gerente que tiene un propósito; en otras palabras, un GERENTE MOTIVADO?

He conocido a muchísimos gerentes que exigen y esperan que sus empleados estén más motivados, sin embargo, cuando los veo es absolutamente obvio por qué no reciben lo que quieren. Una vez fungí de presidente de una conferencia para unos doscientos gerentes ejecutivos de una compañía estatal importante del Reino Unido. Resultó que aquella era la segunda conferencia con que se pretendía lanzar un nuevo estilo y estrategia administrativos. Por una parte, el nuevo sistema no era comprendido completamente y, por otra, no había recibido la aprobación entusiasta de los altos ejecutivos. Se reveló que una de las razones fundamentales para la falta de entusiasmo y motivación hacia el cambio se debía a una sola persona. El gerente clave, que era el responsable de la presentación del programa, había sido despedido justo antes de la primera conferencia, y luego fue invitado a regresar con un contrato de seis meses con el único propósito de comunicar e implantar su estrategia. ¡Qué decisión administrativa más extraña! Si queremos motivar a otra persona, debemos ser personas motivadas.

LEY NÚMERO 2

La motivación requiere de una meta

Es imposible que cualquier individuo, o de hecho cualquier equipo o grupo de personas, sea motivado sin una meta clara y específica. La motivación, como ya hemos dicho, implica un esfuerzo hacia un futuro. Sin meta, no hay propósito. En el capítulo 6, que trata respecto a cómo motivarse, veremos los principios y las etapas implicados en fijar metas, y examinaremos cómo podemos obtener lo que sea. Es triste que tan pocas personas tengan metas hoy en día. Aun más devastador es el hecho de que muchas no tienen esperanza. De hecho, hay quienes se despiertan cada mañana y su primera reacción es de sorpresa, ¡porque han sobrevivido otra noche! No tienen propósito, no tienen metas, y no tienen nada qué anticipar en términos de logros o hechos. Todos sabemos cómo la apatía puede entrar de manera furtiva cuando no hay esperanza. Todos debemos tener esperanza. Todos debemos anticipar algo, y por eso hay que fijar metas y objetivos.

LEY NÚMERO 3

La motivación, ya establecida, no es eterna

Esta ley parte de una estimación errónea muy común entre los gerentes. Cada año asisto a muchas conferencias empresariales, y uno de los objetivos básicos de éstas es juntar a todos, impartir información acerca de su rendimiento en el pasado y presentar algunas metas y planes para el futuro. El objetivo general es poder enviar a los participantes y delegados a sus casas con las pilas recargadas y con la motivación elevada. La mayoría de las conferencias sí son capaces de lograr esa meta.

Sin embargo, ni la motivación ni los sentimientos cordiales perduran. Esta situación es parecida a inflar un globo: si no se ata la boquilla, el aire se saldrá de nuevo. La motivación es, y debe ser, un proceso continuo; no es una vacuna anual. Algunas organizaciones disponen de una revisión anual en la cual cada miembro del equipo profesional sostiene una junta privada con su supervisor para discutir la calificación de su desempeño. Obviamente, éste puede ser un ejercicio o motivador o desmotivador. Sin embargo, el propósito de esta calificación, si se maneja bien, es motivador, porque uno pone las fuerzas y las debilidades del empleado sobre la mesa para poder elaborar planes de acción y autoayuda hacia el futuro.

Sin embargo, en algunas organizaciones solamente una vez al año la persona discute su rendimiento con su superior. Por eso, aceptando de antemano el hecho de que las evaluaciones pueden ser motivadoras además de cumplir con el requisito fundamental de corregir un desempeño o comportamiento no productivo, tiene sentido aplicar un horario más regular de minievaluaciones; quizá lo más recomendable sea una vez cada trimestre.

Sin embargo, éste es sólo un ejemplo de la motivación permanente. Veremos numerosas ideas adicionales al respecto mientras seguimos adelante en nuestra discusión acerca de cómo motivar a la gente durante el curso de este libro. De entrada, debemos aceptar que el solo hecho de que un individuo esté motivado el día de hoy no significa que estará motivado mañana.

Una persona puede estar motivada en el trabajo y desmotivada en el ambiente hogareño, o viceversa. Eso de por sí es una razón bastante buena para darle a entender a cada individuo el poder de la motivación y de la comprensión de uno mismo; es decir, cómo sentimos o por qué reaccionamos, qué nos pone contentos o descontentos, y qué nos inspira a trabajar un poco más duro.

Todos debemos entender lo que realmente nos desmotiva, para entonces dar los pasos necesarios e impedir que eso ocurra hasta donde sea posible. A mí me puede desmotivar un automóvil que no encienda o una carta del gerente de mi banco que llegue en sábado por la mañana. De allí he dado los pasos necesarios para prevenir o eliminar esas causas de desmotivación. Ciertamente, el cuidado y mantenimiento regular de mi vehículo es muy efectivo. En lo referente al banco, cuando he cambiado de institución o cuando hay un nuevo gerente, pido una entrevista para explicarle los términos sobre los cuales se conducirá mi cuenta. Si alguna vez llega una carta en sábado por la mañana, ¡se cancela!

LEY NÚMERO 4

La motivación requiere de reconocimiento

Esta es una ley muy poderosa. Si la rompes continuamente jamás habrá a tu alrededor un conjunto de personas verdaderamente motivadas. El reconocimiento asume tantos modos distintos, desde la elección política hasta la carta de agradecimiento, desde tu manera de presentar a alguien hasta el hecho de admirar un florero en casa.

Las personas se esforzarán más para ser reconocidas que para casi cualquier otra cosa en la vida. El reconocimiento puede ser un cumplido. Si tienes hijos, sin duda habrás experimentado la situación en la que uno de ellos regresa de la escuela con un trabajo recién terminado. A lo mejor es un cuadro que ha pintado, y tú como padre o madre admiras ese cuadro, lo muestras a otros miembros de la familia y lo cuelgas en la pared. Como seguramente habrás notado, el resultado será —aparte de más cuadros— un niño más motivado.

Los cumplidos sinceros son una manera de reconocimiento y se necesita una persona que "piense en grande" para darle uno a otra persona. Las personas con mentes pequeñas nunca son capaces de reconocer los logros de los demás. En las empresas se organizan actos en los que se otorgan reconocimientos para agradecer a los miembros del equipo profesional su desempeño, sus logros, su lealtad, etcétera. La regla de oro aquí es que no hay que olvidarse de nadie a la hora de brindar reconocimiento.

Durante una conferencia a la que asistí hace unos años, el presidente estaba regalando botellas de champaña a los rendidores estrella. Éstos habían ganado las botellas gracias al volumen de ventas que habían registrado. Mientras terminaba de repartir la última botella preguntó a la audiencia si acaso se le había olvidado alguien. Un pobre individuo levantó la mano. Una expresión de asombro transfiguró la cara del presidente y se oyó su comentario a un asistente sobre la plataforma: "¿Quién diablos es ése?" Afortunadamente el asistente se sabía el nombre del vendedor. Los dos revisaron cuidadosamente un fajo de formas de registro y después de unos momentos el presidente anunció que, de hecho, el individuo tenía razón. Se habían equivocado, sin embargo, por suerte, tenían una botella extra. El pobre tipo subió al escenario para recibir su premio. Un acto de reconocimiento que por lo demás fue exitoso se devaluó terriblemente por aquel descuido.

LEY NÚMERO 5

La participación es motivación

Desde mediados de los años ochenta existe una tendencia general que propicia la compra agresiva de la administración de empresas. En muchos casos, compañías que no eran muy rentables han sido rescatadas y se han convertido en enormes éxitos. Muchos de estos esquemas implicaron un aumento en el otorgamiento de acciones a los empleados, demostrando así que la participación es motivación.

Las personas suelen estar más motivadas dependiendo de cómo se les utilice en el trabajo que en relación a cómo se les trate. Cuando sienten que forman parte de un experimento o de un proyecto, su nivel de motivación será mucho mayor. Así que cuando logras involucrar a la gente, crearás un individuo o un grupo de personas más motivado.

Muchos gerentes no comparten sus planes, metas y objetivos. No dejan que su gente experimente un espíritu pionero. En enero de 1993 encabecé un curso de ventas que duraba dos días. Después de llegar al hotel me encontré con algunos de los delegados y descubrí que era un grupo desmotivado y desmoralizado. Luego de hacer muchas preguntas descubrí que habían hecho un cambio en la administración superior. Ahora el equipo de ventas sentía que les estaban dictando lo que tenían que hacer, que sus opiniones ya no eran importantes ni valoradas, y que ya no tenían que ver con el proceso decisivo. Yo tenía que resolver esa problemática situación. A la mañana siguiente tuve una junta con el nuevo gerente y pasamos dos horas clasificando exitosamente todos esos puntos de vista. El nuevo gerente no se sabía comunicar con sus subalternos antes de haber charlado conmigo. *No sólo hay que contar las ideas, también hay que venderlas. Hay que convencer a la gente de que las adopte.*

LEY NÚMERO 6

Ver nuestro progreso nos motiva

He aquí otra ley que hay que entender por completo. Cuando vemos que estamos progresando, avanzando y logrando metas, siempre estaremos más motivados. Cuando nos vemos retroceder, estaremos desmotivados.

Al principio de los años noventa el Reino Unido experimentó un periodo de desmotivación drástico. Fue causado en parte por un descenso vertiginoso en el valor de la propiedad durante los últimos años de la década de los años ochenta. Debido a problemas en la economía mundial y a otros factores, el costo de los hogares y terrenos en ciertas regiones de la Gran Bretaña cayó hasta un 50 por ciento. Las personas se consideraron menos solventes a pesar del dinero que tenían, y la respuesta consecuente fue la confusión, la desmotivación, una pérdida drástica de confianza, un sentimiento de estar fuera de control y una falta considerable de gastos innecesarios. El dinero fue canalizado a lo fundamental y no a lo superfluo. También durante estos años hubo una tremenda desmotivación entre la clase terrateniente: ésta vio que las casas perdían valor rápidamente y las hipotecas excedían su nuevo valor neto. La nación y su gente estaban en recesión y no veían la mítica luz al final del túnel, así que hubo una desmotivación masiva.

Este es un ejemplo de la desmotivación causada por circunstancias que están fuera del control de la mayoría de las personas. Eso, a su vez, ocasionó una falta de confianza masiva. La importancia de este ejemplo es llegar a comprender por qué o cómo sentimos las cosas. Este conocimiento nos ayudará a actuar para motivarnos y, a su vez, encontrar y desarrollar vías de progreso.

He conocido a muchas personas que gozan de una tranquilidad impresionante después de haberse quedado en bancarrota. El periodo devastador de desesperación y preocupación desaparece cuando ya pasó la quiebra. Desde ese momento, lo único posible es volver a subir.

Lo que provoca el sentimiento de desmotivación es el miedo a preguntarse qué más puede ocurrir o salir mal. Nuestra humanidad nos hace motivarnos más específicamente cuando vemos que estamos progresando en cualquier sentido. Sea la vida profesional o la vida privada, la cual incluye nuestros pasatiempos, deportes e intereses; cuando nos vemos avanzar hacia adelante nos dan ganas de superarnos aún más. Esta ley tiene que ser implantada, trabajada, administrada y planeada para poder mantener una gran motivación.

LEY NÚMERO 7

El desafío nos motiva siempre y cuando podamos ganar

Más adelante veremos algunos incentivos, competencias desafíos que nos pueden inspirar a rendir más. Sin embar go, un desafío nos motiva solamente si tenemos alguna posibilidad de salir exitosos. He visto demasiados concursos y competencias organizados por gerentes de ventas con el objetivo de inspirar a la gente y obtener un aumento en ventas. No han comprendido esta ley, y se quedan con la pregunta de por qué el concurso sólo motivó a una o dos personas para que mejoraran su desempeño, alcanzaran el desafío y recibieran los premios. Los concursos, competencias y desafíos son extremadamente efectivos y ciertamente inspiran a la gente a una mayor actividad. No obstante, los que participan deben creer que tienen la oportunidad de ganar.

Una instancia que observé personalmente se produjo cuando una compañía ofreció vacaciones de dos semanas para dos personas en las Bahamas como premio. El premio se ofreció a todos los miembros de una fuerza laboral de ventas de cuarenta personas y se otorgaría a aquella persona que obtuviera más ventas en un periodo de tres meses. Tres personas de un equipo de ventas de cuarenta se propusieron ese desafío. Aquellos tres tenían el ámbito más amplio en términos de territorio, el volumen más grande de clientes y una cantidad de pedidos lista para manejarse. También habían sido los tres mejores vendedores de manera constante durante los dos años previos al concurso. El resto de la fuerza laboral de ventas estuvo de hecho desmotivada por este desafío, porque sabían que sus probabilidades de ganar eran pocas o nulas. La diferencia entre ellos y los primeros tres era tan grande que sería casi imposible alcanzarlos.

El desafío es un motivador. Los seres humanos responden a las nuevas posibilidades. Si se les desafía a cumplir con un proyecto que vale la pena, lo hará el 90 % de los empleados. Cada vez más, los gerentes se están dando cuenta de que el trabajo por sí mismo puede ser un motivador; es decir, no sólo el trabajo como la faena de todos los días, sino como un fenómeno que incluye aspectos tales como la responsabilidad, el desafío y el sentimiento de hacer algo que valga la pena.

El trabajo de alguien puede llegar a ser un gran desafío si se le encarga la tarea más grande que es capaz de enfrentar. Por supuesto que la responsabilidad debe ir acompañada por el crédito cuando haya éxito.

LEY NÚMERO 8

Todos tenemos una mecha de motivación

Esta ley nos dice que todo el mundo puede estar motivado. Tenemos una mecha, pero a veces no sabemos por dónde encenderla. A veces es demasiado arriesgado económicamente seguir intentando darles a algunas personas la chispa que necesitan para activarse o rendir más.

Cada uno de nosotros tiene una mecha, y un gerente efectivo y motivador tendrá muchas maneras de darnos la chispa que necesitamos para alcanzar un modo de comportamiento más motivado. Cuando un empleado hace el intento y falla, muchas veces el gerente se echa la culpa; y para cualquier gerente uno de los deberes más desagradables que existen es el tener que despedir a un empleado. Sin embargo, a veces es la mejor opción disponible, porque como ya hemos dicho, puede ser el propio ambiente laboral lo que está impidiendo un desempeño efectivo. Por otro lado, la desgracia puede ser desencadenada por la actitud de un individuo que tiene la determinación obstinada de seguir siendo igual que antes. Este individuo eternamente señala a los demás y nos dice: "Yo no tengo la culpa, ellos la tienen. Es la compañía, el producto o los trámites. Es el gerente. De hecho, tengo un trabajo miserable."

¿No es extraordinario el hecho de que los trabajos no cuidan a las personas? Lo importante es cómo la gente cuida su trabajo. Una persona puede afirmar y creer acentuadamente que el suyo es el peor trabajo creado por la humanidad. Sin embargo, otra persona con el mismo trabajo y otra actitud dirá y creerá que es el mejor trabajo creado y que se siente muy afortunado por tenerlo.

Así que cuando manejamos esta ley como motivadores, debemos comprender que todo el mundo tiene una mecha y que se le puede dar la chispa de la vitalidad. De igual manera debemos aceptar que, a veces, el esfuerzo y el tiempo implicados pueden ser un desperdicio de recursos.

LEY NÚMERO 9

Pertenecer a un grupo nos motiva

Esta ley subraya la importancia de tener un sentimiento de pertenencia a un grupo. Mientras más pequeña sea esta unidad, más fuerte serán la lealtad, la motivación y el esfuerzo.

Cuando estabas en la escuela, sin duda había equipos deportivos que representaban a la escuela y equipos que representaban a las aulas. Me permito suponer que cuando se jugaba entre los equipos de las aulas, había más muestras de emoción, lealtad y motivación que dentro del equipo de la escuela. Vamos a tomar esta analogía y a generalizarla. Qué produce más emoción entre los fanáticos y a su vez aumenta los precios de los boletos en el mercado negro: ¿la copa del torneo de liga o un juego entre el equipo nacional y otro país? Los que apoyan un equipo local declaran su identidad con las banderas, sombreros e insignias de su equipo. Quieren formar parte de él. Por supuesto que todos somos "empleados" cuando formamos parte de una compañía u organización, sin embargo, un buen gerente de la motivación sabrá convertir a su gente en miembros de un equipo.

En algunos casos la fundación de un equipo puede consistir en la invención de un nombre; por ejemplo, el apellido del líder del equipo se puede adoptar como el nombre del equipo. En otras organizaciones el pertenecer a un grupo se logra a partir de cada división: la división de producción, la división de mercadotecnia, la división de ventas, etcétera. En donde se haya establecido ya este sentimiento de pertenecer a un grupo, el buen gerente de motivación sabrá inventar actividades extracurriculares que atraigan e integren a la gente. Estas actividades pueden incluir una parrillada veraniega, un viaje al teatro, juntas regulares e informes de equipo. Camisetas, plumas y boletines también pueden crear el sentimiento de pertenecer a un grupo. Lo que hay que aceptar aquí es el hecho de que formar parte de un grupo motiva a la gente.

RECORDATORIOS DE BOLSILLO

- Tenemos que sentirnos motivados para poder motivar
- La motivación requiere de una meta
- La motivación, ya establecida, no es eterna
- La motivación requiere de reconocimiento
- La participación es motivación
- Ver nuestro progreso nos motiva
- El desafío nos motiva siempre y cuando podamos ganar
- Todos tenemos una mecha de motivación
- Pertenecer a un grupo nos motiva

"PALABRAS SABIAS

Un hombre persuadido contra su propia voluntad sigue con la misma opinión que antes.

HOWARD LAGO

CAPÍTULO 3

Cómo reconocer los desmotivadores

Es tan importante conocer las reglas de la motivación como conocer y poder reconocer los desmotivadores. La base de toda motivación, tal y como lo hemos mencionado antes, es la esperanza. Sin esperanza cualquier individuo se quedará sin motivación.

El hombre es un animal que corre tras las metas. La historia de la humanidad consiste en el registro de las metas logradas, y es esa anticipación del futuro lo que ayuda más que nada a crear una mente motivada. Una persona que carece de motivación o que ha sido desmotivada por otras personas o por las circunstancias demostrará cómo se siente a partir del lenguaje corporal, la apariencia y la expresión de la cara. Luego, es fundamental el poder reconocer las señales superficiales de una persona desmotivada.

Por supuesto que para descubrir tales signos basta con aplicar un poco de sentido común, sin embargo, debido a las presiones que todos padecemos, no siempre somos conscientes de los sentimientos ajenos. Por eso es tan importante que un gerente motivado experimente la empatía. Por lo general, la empatía se expresa como "ponte en mi lugar" o "piénsalo desde mi punto de vista"... Algunas personas viven tan ensimismadas que nunca tienen ganas de ver el mundo desde la perspectiva de otra persona.

¡Tantos casos de conflictos o discusiones familiares se podrían resolver si ambas partes tomaran la disputa a consideración desde el punto de vista de la otra persona! Es fácil lograr eso cuando uno se pregunta: "¿Por qué dijo eso?" Lo normal es que los seres humanos reaccionemos a las palabras y, por supuesto, a la expresión de la cara del otro, sin embargo, no solemos indagar en lo que impulsó al otro a decir esas palabras.

La empatía no significa estar de acuerdo con otra persona. La empatía consiste en comprender por qué otra persona habla o actúa de tal manera. Hay quienes, tal y como hemos mencionado, carecen totalmente de empatía, y por otro lado hay quienes tienen demasiada empatía. Esta última condición ocasiona la timidez y la falta de energía para enfrentar nuevos desafíos, o se expresa con lo que llamaríamos una falta de confianza. La empatía forma parte de la curva que describe la distribución normal de la vida: ambos extremos limitan el éxito. Entonces, ¿cuáles son las señales superficiales mostradas por una persona desmotivada?

SEÑALES SUPERFICIALES

En primer lugar, su apariencia. Suele cuidar menos el peinado y no hace ningún esfuerzo por vestirse —la ropa se lava y se plancha menos frecuentemente— y los zapatos están descuidados. Eso también puede afectar el estado en que mantiene su coche y hasta la manera en que trabaja, tanto como su escritorio u oficina. Esta apariencia de descuido también se refleja en su hogar.

La expresión en la cara muestra las comisuras de la boca volteadas hacia abajo en lugar de hacia arriba, y el lenguaje corporal trasmite mensajes que indican que la mente puede encontrarse en un estado infeliz, desmotivado, inseguro o hasta amargo. Esta persona también experimenta enfermedades con más frecuencia. Desde luego que el indicador más importante es lo que la persona dice. Cuando empieza uno a hablar, instantáneamente le da al que escucha, si éste realmente presta atención a lo dicho, la impresión final de encontrarse con una persona motivada o desmotivada. Ahora bien, veremos algunas de las causas principales de la desmotivación.

LA FALTA DE CONFIANZA

Esto a menudo se expresa como un sentimiento interior de: "¿Seré capaz de hacerlo?". o "no soy tan capaz", "no estoy especializado, no puedo...", etcétera. Cuando hay una falta de confianza, ésta suele ser producto de uno de los tres factores que siguen:

1. La confianza ha sido eliminada por algo que otra persona ha dicho. Veremos esto con más detalle en el tercer desmotivador.
2. La falta de confianza puede ser el producto de un condicionamiento desarrollado durante la niñez. Todos los bebés nacen con un cerebro positivo que durante los primeros meses de su vida recibe información positiva de sus padres. Tan pronto como empieza a

moverse el niño, aumenta el ingreso de información positiva, es decir, los "sí puedes" y los "puedes lograrlo". El niño pronto aprende a pararse y el orgullo de los padres aumenta, junto con las respuestas positivas. Finalmente, se dan los primeros pasos. El bebé puede caminar, los amigos y parientes naturalmente son invitados a compartir la alegría de los padres, y tan pronto como el bebé es realmente capaz de caminar, la información positiva que recibía se torna drásticamente negativa: "Ten cuidado", "no hagas eso", "no toques eso, puede hacerte daño"... entonces aquel cerebro positivo empieza a experimentar un condicionamiento *Negativo-Negativo.*

3. Con un condicionamiento producto de experiencias del pasado.

Experiencia exitosa	Fracaso
↓	↓
Confianza	Falta de confianza
↓	↓
Sí puedo	No puedo

Supongamos que te invitan a ofrecer un discurso. Tu inconsciente automáticamente se pondrá a recordar. Si el último discurso que diste fue bien recibido, el "sí puedo" subirá a la superficie. Si el último discurso fue un desastre, entonces el condicionamiento de las experiencias del pasado te ofrecerá un sentimiento de "no puedo". Por supuesto que esta sensación se puede superar, tal y como veremos; sin embargo, lo más importante aquí es comprender nuestros sentimientos. Si nunca has dado un discurso, la memoria de tu subconsciente te estará diciendo: "¿Puedo hacerlo?"

Luego es fundamental que, en el curso de la administración de tus recursos personales tanto como los de los demás, entiendas antes que nada las causas subyacentes a esta falta de confianza. En segundo lugar, no debes convertirte en la causa de una falta de confianza en el futuro. De vez en cuando todos experimentaremos una crisis de confianza cuando nos enfrentemos a algo nuevo. Si alguien te dice que nunca ha experimentado desconfianza, es porque nunca ha intentado algo nuevo.

Por eso un gerente efectivo no debe destruir la confianza de otras personas, porque seguramente ocasionará la desmotivación. En su momento esto redundará en una falta de lealtad. En el capítulo 5 veremos cómo se puede acumular más confianza.

LA PREOCUPACIÓN

La palabra "preocupación" proviene del latín "prevenir el ánimo de uno de modo que dificulte el asentir a otra opinión". Eso es precisamente lo que ocurre a algunas personas, y desde luego que la preocupación es un factor que causa la desmotivación. Es el sentimiento que asalta a las personas cuando piensan lo que podría suceder si fracasan, el miedo a cometer un error podría costarnos hasta el trabajo, y lo que bien puede ser el miedo más nefasto es el miedo a hacer el ridículo ante los ojos de nuestros colegas o semejantes.

En algunas organizaciones la preocupación, ligada con el miedo a cometer un error, produce una cómoda inactividad y, por cierto, una falta de poder decisivo.

Para poder progresar y sobrevivir es fundamental que las personas tomen decisiones y, si se van a tomar decisiones, un porcentaje de ellas casi seguramente acabará en el error. Un estilo de administración motivador jamás desmotivaría a un individuo castigándolo por haber cometido un error.

Todos los grandes líderes y empresarios del mundo admiten fácilmente el hecho de que han cometido equivocaciones y errores de juicio. Son afortunados en la medida en que toman más decisiones correctas que incorrectas.

Este miedo, que se expresa como una preocupación, ocasiona el miedo a fracasar, tal y como John Evans Jones nos dice en su brillante sistema para el desarrollo personal llamado Powerfax: "El fracaso no es más que un mal resultado. Por eso, no existen fracasos, sólo resultados".

OPINIONES NEGATIVAS

Sin duda éste ha de ser el desmotivador más singularmente malévolo. El "qué dirán los demás" es lo que hace daño, y si pudiera señalar como culpable al hábito más dañino de la humanidad, sería el de la comunicación negativa. Se han destruido más éxitos específicos y potenciales por la opinión negativa de las personas que por cualquier otro factor.

Dentro de cualquier organización, si una persona se torna negativa, su actitud se extiende casi como un fuego forestal hasta que todos se tornan negativos. Cualquier persona que no sea capaz o que no quiera comprender plenamente el peligro y los efectos de las opiniones negativas no podrá llegar nunca a ser un maestro de la motivación.

Supongamos que tienes una buena idea y decides discutirla con un amigo, quien te da una realimentación negativa. Tu idea no sirve, no es el momento adecuado, no serías capaz de llevarla a cabo de todas maneras... ¿Cómo te hace sentir? ¿Motivado o desmotivado? Ambos sabemos la respuesta.

En primer lugar, me gustaría preguntarte si a la hora de buscar una opinión o consejos de otra persona sueles escoger a la persona más adecuada posible para dar una opinión. Puedes preguntarle a un taxista cuál es su opinión acerca de la cirugía cerebral, y sin duda tendrá algo que decir al respecto, no obstante, debe haber alguna duda acerca de la validez de aquella opinión. El principio aquí es el siguiente: cuando se dan estas opiniones debemos averiguar su autenticidad, es decir, si la persona en cuestión tiene la educación, la experiencia o el conocimiento necesarios del tema acerca del cual está opinando. También debemos acordarnos de que los expertos pueden equivocarse, tal y como nos demuestra el fascinante libro titulado *The Experts Speak*, escrito por Christopher Cerf y Victor Navasky, y publicado por Pantheon Books.

> Edison dijo: "El cine hablado no tomará el lugar de las películas sin sonido." Aristóteles dijo: "Se puede decir que las mujeres son una variante inferior del hombre". "Para la mayoría de las personas fumar tiene efectos positivos", afirmó el doctor Ian McDonald, un cirujano citado por *Newsweek* el 18 de noviembre de 1963."El aeroplano jamás podrá volar": Lord Haldane, 1907."La televisión no va a durar; es una chispa temporal": Mary Sommerville, 1948.

Las anteriores son citas de supuestos expertos, así que ¿cuáles son nuestras posibilidades de obtener buenos consejos si pedimos la opinión de un tipo que conocimos en un bar? Hay que tomar en cuenta que cuando recibimos la opinión negativa de otra persona, se trata solamente de una opinión. Puede tener razón, y por otro lado puede estar equivocado. Parece ser una característica común entre la gente que tiene éxito en la vida el hecho de que rara vez emiten una opinión absolutamente negativa.

Es más probable que te den consejos que busquen el peor caso hipotético posible y entonces, después de revisar todas las posibilidades de tener éxito, acaben por darte más información. Estos datos van acompañados de una comprensión mayor del tema sobre el cual hayas pedido su opinión, de modo que estarás mejor preparado para formar tu propia opinión y tomar tu propia decisión. Hablando acerca del tema de opiniones, los que aspiran a la política deben aprender a utilizar la palabra "jamás", para luego nunca volver a utilizarla.

UN SENTIMIENTO DE QUE "AQUÍ NO HAY FUTURO"

Cuando alguien siente que no tiene futuro, es obvio que también se sentirá desmotivado. En algunos negocios, los empleados literalmente tienen que esperar a que muera su superior. Saben que no hay posibilidades de avanzar por otro lado porque cualquier puesto disponible será repartido entre los familiares de los dueños. En algunas otras organizaciones la única oportunidad de avanzar consiste en acumular cierto número de años de servicio, mientras en otras compañías todos los puestos administrativos los ocupan personas contratadas por fuera.

El hecho de que las empresas no ofrezcan un camino ascendente en cada oficio no necesariamente es malo. En muchos casos habrá personas que utilizan su empleo como una escalera hacia sus propios objetivos, lo cual es, por supuesto, perfectamente saludable y comprensible.

Lo cierto es que tanto el jefe como el empleado deben ser capaces de reconocer y respetar sus propios términos o postura acerca del empleo. El sentimiento de que "aquí no hay futuro" puede ser manejado y amainado por una buena administración. Si el gerente está consciente de que a lo mejor no hay avances profesionales u oportunidades disponibles dentro de su organización, cuando menos puede ofrecer estímulos y motivación para reducir aquel sentimiento de que aquí no hay futuro. Puede lograr esto ofreciendo reconocimiento para el trabajo bien hecho, cambiando y compartiendo las responsabilidades, involucrando a todos en las decisiones, y quizás, más que nada, dando oportunidades de entrenamiento.

Es obvio (sin embargo, hay que decirlo) que sería desmotivador ofrecer entrenamiento para aquellas habilidades que jamás serían utilizadas dentro de la organización.

NO ME SIENTO IMPORTANTE

Cuando alguien se siente genuinamente irrelevante, desde luego que estará desmotivado. Eso también se puede expresar como: "A nadie le importa lo que hago", "soy insignificante", o "sólo soy un pequeño engranaje en esta rueda masiva".

Tanto como los otros desmotivadores, éste puede ser fácilmente prevenido con la buena administración. Los gerentes de personal con liderazgo y habilidades para la motivación saben que el reconocimiento puede eliminar este sentimiento. Eso puede consistir sencillamente en decir "gracias"; puede ser una carta personal del gerente superior del equipo administrativo, o puede ser tan sencillo como el hecho de que el presidente de la compañía se sepa y utilice el nombre de un individuo.

Hay un ejemplo hermoso de una persona que visita un sitio de construcción. Mientras está hablando con un albañil le pregunta qué está haciendo. El albañil le responde: "Estoy poniendo ladrillos". Le pregunta lo mismo a otro albañil, quien responde: "Estoy construyendo una pared", y el tercer albañil responde a la misma pregunta de la siguiente manera: "Estoy construyendo una casa". Obviamente el tercer albañil cree que forma parte del proyecto y sin duda se siente muy importante por eso.

Eso explica por qué nuestro estilo de administración ha evolucionado del síndrome de "lo grande es hermoso" hacia el concepto de "los detalles son hermosos". A lo mejor la manera más sencilla y fácil de eliminar ese sentimiento de irrelevancia sería tomar pasos activos de inmediato para dar en lugar de recibir. Hay que buscar maneras de ser útil a otra persona: ¿Cómo podemos ayudar a los demás?

"NO ENTIENDO LO QUE ESTÁ PASANDO"

Este es un desmotivador muy común que aparece cada vez que una persona siente, con o sin razón, que no sabe lo que está pasando; es decir, nadie se preocupa por informales de la situación; siempre terminan siendo los últimos en enterarse.

Dentro de una organización en donde prevalece este sentimiento, a menudo la información se comunica por vía de los chismes tradicionales. Estos datos, en la mayoría de los casos. son terriblemente erróneos, casi siempre negativos e iluminados por las malas lenguas.

Todo eso puede resumirse con un gran ejemplo de mala comunicación. Durante muchos años los gerentes ingleses dejaron de hablar a su fuerza laboral y se comunicaron sólo por medio de los sindicatos. ¡Qué manera más burda de administrar, motivar y comunicarse con los empleados! Por supuesto que los sindicatos merecen su lugar en una sociedad saludable, sin embargo, su papel no consiste en ser el vaso comunicante entre la administración y los empleados. Otra vez, la prevención es la opción más viable. Los empleados deben ser informados, deben recibir las nuevas por parte de sus propios jefes de trabajo y no deben de enterarse de lo que pasa mediante los periódicos nacionales. No deben depender de los rumores. Como todos sabemos, éstos invariablemente son erróneos.

A LA GENTE SE LE PREMIA POR LO QUE ES Y NO POR LO QUE HACE

Según las leyes de la motivación hemos discutido la importancia del reconocimiento como una inversión motivadora. Cualquier organización en la que la gente reciba promociones o reconocimientos por ser de buena familia, por tener una buena relación personal, o incluso por tener "buena cara", será una organización desmotivadora.

RECORDATORIOS DE BOLSILLO

Hay que entender y evitar a los desmotivadores:

- Falta de confianza
- La preocupación
- Las opiniones negativas
- Un sentimiento de que "aquí no hay futuro"
- No sentirse importante
- No saber qué es lo que está pasando
- Reconocimiento falso

"PALABRAS SABIAS"

Una de las maneras más fáciles de tener razón es pronosticando el fracaso, en especial el propio.

CAPÍTULO 4

Lo propositivo

Ser propositivo es parecido a estar motivado en la medida en que muchas personas suelen sentir que deben proponer más en su trabajo o que les falta capacidad para afirmarse en su medio. Muchos parecen anhelar esta calidad sin saber exactamente de qué se trata.

Lo propositivo quizá se describa mejor como la expresión abierta y clara de opiniones, pensamientos y sentimientos, de una manera no defensiva. Consiste en ser capaz de hacer solicitudes y rechazar aquellas que no sean aceptables. Eso suena muy sencillo; sin embargo, en realidad es muy difícil para algunos rechazar las exigencias de otras personas, tales como comunicarse con sus amigos, sus colegas y —aun más importante— las personas con quienes trabaja. Ser propositivo, por otro lado, no significa ser pesado, dogmático, aburrido o arrogante.

En el capítulo anterior examinamos la importancia de la empatía y la comprensión de la confianza. La empatía desempeña un gran papel en cuanto a lo propositivo. Significa poder comunicarse de tal manera que se tomen en cuenta los sentimientos de otras personas. También tiene que ser una expresión de confianza.

En el capítulo 5 veremos las técnicas que se necesitan para motivarse. También propondré algunas ideas acerca de cómo aumentar la confianza. Es la falta de confianza lo que nos hace sentir que carecemos de poder propositivo.

MIEDO AL RECHAZO

Las personas que genuinamente sienten que su estilo de comunicación es demasiado sumiso y que les falta seguridad a menudo encuentran que la causa de este problema se debe a un acondicionamiento que proviene de experiencias en el pasado. Estas causas, en muchos casos, tienen que ver con una incapacidad para manejar el rechazo, o bien, lo que el individuo considera ser un rechazo. En realidad, son pocas las ocasiones en que nos enfrentamos a un rechazo de verdad.

Para expresarlo de una manera sencilla, el rechazo ocurre cuando la persona con quien uno se comunica responde con la palabra "no" o su equivalente. Hay que aceptar el hecho de que cuando alguien te dice que "no", sólo significa "no" en ese momento en particular. No significa "no" más tarde el mismo día, al día siguiente, la semana siguiente, el mes siguiente o el año que viene. Sólo significa "no" para ese momento específico.

Déjame hacerte una pregunta sencilla y directa:
¿Posees o has comprado o has hecho algo que antes
habías rechazado con la palabra "no"?
Garantizo que tu respuesta será que "sí".

Como puedes ver, las circunstancias cambian. Nuestras esperanzas, exigencias y aspiraciones continuamente se están alterando y todos cambiamos de opinión. La palabra "no" no es un rechazo; sólo significa que "no" por cualquier razón en un momento específico.

DESARROLLAR LO PROPOSITIVO

Muchas personas sienten que para poder ser más propositivos tienen que ser más agresivos. La raza humana rechaza la agresión y reacciona muy negativamente ante ella, así que eso no puede ser una buena respuesta.

La propositividad es una habilidad interpersonal. Puede reflejar tu modo de pensar habitual. Puede proyectar tus sentimientos más íntimos acerca de ti mismo y, por supuesto, tus relaciones con otras personas. Ya he dicho que practicar lo propositivo significa que uno debe comunicarse abiertamente, con claridad y de una manera no defensiva. No hay que disculparse a menos que sea absoluta y genuinamente necesario.

Estoy seguro de que tienes amigos que te han dicho: "Ay, no podría preguntarle eso". Y ¿por qué no? O: "No podría decirle eso..." ¿Por qué no? El equilibrio, que es tan importante aquí, debe existir para equilibar la *empatía* y la expresión de tus propias opiniones y sentimientos. Acuérdate de que a lo mejor tienes razón y, por otro lado, podrías estar equivocado. Pasemos a ver los ocho pasos que nos ayudarán como individuos a desarrollar nuestra capacidad propositiva.

1. La ansiedad es algo que hay que anticipar

Es perfectamente normal y totalmente aceptable dentro del campo de la comunicación humana el sentirnos ansiosos cuando decimos lo que pensamos o lo que sentimos; y si algún individuo dice honestamente que nunca siente ansias es obviamente porque carece totalmente de comprensión, empatía o sentimientos acerca de los demás. Así que no hay por que avergonzarse. Un sentimiento de ansiedad es totalmente aceptable y se debe al hecho de que sí te importa lo que ocurre.

2. Aumentar la confianza

Explicaremos las técnicas para aumentar la confianza en el capítulo 5. Aquí bastará anotar que la confianza puede ser como un hábito: se necesita tiempo para desarrollar malos hábitos, los cuales son establecidos por la práctica continua y la repetición hasta que llegamos a una etapa en que son difíciles de perder. *Se necesita tiempo para que se desarrollen los malos hábitos plenamente.*

Los buenos hábitos son exactamente iguales. Se necesita tiempo, y hay que practicarlos continuamente para poder aumentar nuestra confianza. *Los buenos hábitos, en cuanto florecen, también son difíciles de perder.*

3. Creer en sí mismo

Si todavía no crees plenamente en ti mismo, entonces ¡debes empezar AHORA MISMO! Si no crees en ti mismo, es muy difícil que otra persona lo haga. Me refiero aquí a la manera en que hablas contigo mismo, el "sí puedo", el "soy capaz". Esas frases positivas son tan importantes que uno puede decirse: "¿Cómo me siento en relación conmigo mismo? ¿Cuál es mi imagen de mí mismo?" Acuérdate de que tú tienes un control total sobre ti mismo.

Si crees que te han ganado, así será.
Si crees que no eres así, así será.
Si te gustaría ganar pero piensas que no puedes
es casi seguro que no ganarás.
Las batallas de la vida no siempre son llevadas
por el más fuerte o el más rápido.
Sin embargo, tarde o temprano, el que gana
es el que se cree capaz.

ANÓNIMO.

4. Observar y escuchar cómo se comunican los demás

Observar significa estar consciente del lenguaje corporal. Las señales transmitidas por el lenguaje corporal de una persona pueden ofrecernos una gran cantidad de información. Existen aproximadamente 750 mil señales de lenguaje corporal, y algunas de ellas son muy difíciles de controlar. Esas indicaciones invariablemente nos darán información más acertada que las palabras que llegan a decirnos.

Ser propositivo no significa sencillamente comunicar tu punto de vista. Se combina también con la persuasión, que por otro lado significa vender tus ideas. Como sabe cualquier vendedor, la capacidad de escuchar es un ingrediente fundamental en el desarrollo del poder de la persuasión.

Quizás una de las claves para ser más propositivo consista en comprender y entender lo fácil que es vender tus ideas si crees en ti mismo. En mi libro titulado *Selling to Win* detallo mucho los sistemas y la metodología de la persuasión. Aunque mi intención fue escribirlo para las personas que venden productos y servicios, se trata de un libro que todo el mundo debe leer, porque todo el mundo está intentando venderle algo a alguien. Hay una gran diferencia entre hablar y vender.

Para desarrollar esta etapa de tu autoentrenamiento en la aserción, debes practicar tu habilidad de escuchar el punto de vista de otra persona sin deshacerte sumisamente de tu propia opinión. Permíteme recordarte una vez más: debes preguntarte: "¿Por qué dijo eso?"

5. Considerar la situación

Esto significa que para poder comunicar tus ideas efectiva y positivamente debes darte el tiempo para tomar a consideración todos los detalles y reflexionar acerca de la situación que se está manejando. Así podrás fortalecer tu confianza y tu habilidad para comunicar un mensaje.

> *Existe una expresión hermosa en inglés: "Actuar con prisa, arrepentirse con calma".*

Todo el mundo tiene el derecho de tomar a consideración cualquier situación antes de responder. Si quieres aprender cómo ayudarte a ti mismo en el desarrollo de un proceso de pensamiento adecuado, debes reflexionar acerca del resultado final que quieres lograr. En la mala comunicación las personas a menudo intentan ganar puntos o ganar la discusión. No obstante, en el mundo de las ventas hay un dicho: es posible ganar la discusión y perder la venta.

Por eso, no hay por qué acumular puntos. Debes fijarte en un resultado para que éste te ayude a pensar en una solución positiva. Pensar adecuadamente significa dejar que la mente se torne flexible. No debes permitir que el proceso de pensamiento llegue a estar atrincherado, porque después te será más difícil pensar de otra manera.

6. Planear tu respuesta

Conforme vayas pensando en la situación a resolver, debes asegurarte de que el problema a la mano es un asunto importante y no una pantalla de humo que encubre el verdadero punto crítico de la cuestión. Así que, conforme vayas planeando tu respuesta, debes decidir cuándo y cómo. Por medio de la preparación mental, debes aceptarte a ti mismo y al hecho de que, en algunos casos, la otra persona puede llegar a estar molesta o enojada.

No sólo debes esperar lo mejor, también debes prepararte mentalmente para el peor caso posible; en otras palabras, debes preguntarte: ¿Qué es lo peor que puede pasar? Debo agregar que muy pocas veces llega a realizarse ese supuesto. Una persona con un pensamiento verdaderamente positivo siempre espera lo mejor y tiene claros los resultados positivos, sin embargo, también ha tomado a consideración el peor resultado posible y tiene un plan de contingencia preparado por si acaso se produce. Cuando uno se prepara mentalmente para enfrentar el peor resultado posible, éste se elimina del proceso mental de pensamiento del pensador positivo.

7. Salte con la tuya

Si por alguna razón extraordinaria eres muy nervioso o te sientes muy ansioso, debes respirar hondo un par de veces. Por lo general esta acción tranquiliza al sistema nervioso y genera oxígeno dentro del sistema circulatorio.

Debes relajarte y visualizar claramente un resultado positivo. Cuando estés presentando tu caso, permíteme volver a subrayar que hay que utilizar un lenguaje absolutamente claro.

Debes ser abierto y nada defensivo. No debes imaginarte que la otra persona está sincronizada con tu nivel de pensamiento. No debes depender de su capacidad imaginativa y no debes comunicar tus ideas con un tono de: "Bueno, espero que haya captado el mensaje".

No debe haber malentendidos y, por supuesto, no debe haber sarcasmos. Para comunicar tu punto de vista de una manera efectiva, favor de aceptar el hecho de que, hasta cierto punto, la comunicación entre dos personas es un proceso de ventas. Se trata de persuadir a alguien para que vea claramente el resultado que deseas lograr.

8. Sé positivo

En conclusión, SIEMPRE SÉ POSITIVO; es decir, sé feliz, amable y sonriente. Parece que de alguna manera, las personas que entablan una conversación con una expresión amable y positiva siempre logran comunicar su mensaje.

RECORDATORIOS DE BOLSILLO

Los ocho pasos para aumentar la aserción:

- La ansiedad es algo que hay que anticipar
- Aumentar la confianza
- Creer en ti mismo
- Observar y escuchar

- Tomar en cuenta la situación
- Planear una respuesta
- Salte con la tuya
- ¡*Sé positivo*!

"PALABRAS SABIAS"

Cuando una persona baja la voz, quiere algo. Cuando la sube, es señal de que no obtuvo lo que quería.

CAPÍTULO 5

Motivarse con el aumento de tu propia confianza

Para muchas personas el activo más valioso es también el que menos valoran. Es un activo que, con los cuidados adecuados, puede subir su valor drásticamente. Es un activo que tomamos por dado y es imposible fijarle un precio. Ese activo es, por supuesto, nuestro propio cerebro, mente y proceso de pensamiento.

Hay que imaginarse una computadora creada y fabricada por los cerebros más brillantes y tecnológicamente avanzados del mundo. Esta computadora es tan enorme que tiene la capacidad de almacenamiento del estadio Azteca. Esa computadora costaría miles de millones de pesos, sin embargo, cada individuo tiene a su disponibilidad una computadora mucho más poderosa que cualquier máquina creada por el hombre: el cerebro.

Los investigadores nos dicen continuamente que sólo comprendemos y utilizamos un pequeño porcentaje del cerebro. Conforme vayamos avanzando hacia el final del siglo XX, el desarrollo de las ciencias neuronales apuntará hacia la mejor comprensión y utilización de ese órgano maravilloso. Y ¿que tiene que ver eso con la automotivación? Sencillamente el hecho de que debe haber una relación directa entre la fe en uno mismo y la automotivación.

Si podemos aceptar el hecho de que nuestro activo más valioso es el cerebro, vale la pena aceptar también algunos principios básicos, por muy sencillos que sean, acerca de su funcionamiento. Por ejemplo, lo que das de entrada es lo que obtienes de salida. El cerebro opera de manera similar a una computadora moderna en este sentido. Por otro lado, el cerebro tiene el poder de la razón y la creatividad, cosas que la computadora no ofrece.

Luego, si aceptamos el hecho de que el cerebro es el área de almacenaje más impresionante en existencia, se torna fundamental cuidar los materiales que le asignamos para archivar. Algunas personas tienen el cerebro lleno de pensamientos y experiencias negativas. Continuamente le dan entrada a los "no puedo" y a una cantidad infinita de excusas para justificar el hecho de que nunca serán capaces de lograr sus metas.

Por eso, cuando estas personas se enfrentan a una nueva oportunidad o desafío, su cerebro responde siempre con la respuesta: "No puedes", o algo similar. En el capítulo respecto de lo propositivo discutimos la importancia de aumentar la confianza en nosotros mismos. Ahora bien, hablaremos de los cinco pasos necesarios para aumentar esa confianza y para aumentar la fe en uno mismo, la cual puede llegar a ser la base de la automotivación interior.

1. Deshacerse de excusas

Hay demasiadas personas que se limitan a excusas injustificables y por lo general falsas, tales como:

- "No puedo"
- "No soy capaz porque..."
- "No he recibido la educación adecuada"
- "No soy lo suficientemente propositivo"
- "Soy demasiado viejo"
- "Soy demasiado joven"
- "Padezco de salud delicada"
- "No tengo suerte"
- "Nunca estoy en el lugar adecuado en el momento adecuado"
- "No asistí a las escuelas adecuadas"
- "Mi historia familiar tiene la culpa"
- "Nací bajo un signo del zodiaco inadecuado"

Las excusas. Cualquier persona puede encontrar una excusa para casi lo que sea, así que mientras estamos aumentando la confianza, nunca –y quiero decir que *nunca jamás*– hay que valerse de ellas. Encontrarlas puede ser muy conveniente, y acepto que a veces pueda ser hasta confortante; sin embargo, las excusas nos limitan en el logro de nuestras metas.

Así que debemos intentar erradicar las palabras NO PUEDO y NO SOY de nuestro vocabulario pensado y hablado, para reemplazarlas —insisto, realmente hay que reemplazarlas— con PUEDO y SOY. Hay que recordar que el cerebro es un área de almacenaje, y que lo que le entra regresará de salida. Hay que reemplazar toda las inserciones negativas por unas positivas.

2. Utiliza el poder de la imagen

En primer lugar me gustaría hacerte dos preguntas: ¿Qué sientes acerca de ti mismo? y ¿cuál es tu propia imagen? Espero que seas capaz de contestar que tienes orgullo de ti mismo, que te sientes bien acerca de ti mismo, y que aún así te gustaría ser mejor. Todos hemos escuchado la expresión "ver para creer". El cerebro, que tiene capacidades sin límite, te puede ayudar mucho a cumplir tus ambiciones si le das la oportunidad de hacerlo. Hay que dejar que la mente visualice la meta que queremos lograr. Entre más piensas en ella, más seguro podrás estar de obtener un resultado positivo.

Existe otra expresión que dice: "Nos convertimos en lo que pensamos". Esto me recuerda que cuando en algún seminario dije lo anterior, un hombre gritó desde la audiencia: "¡Pero yo no quiero ser mujer!" Hablando en serio, este concepto puede ser tanto negativo como positivo. Si dejamos que nuestros pensamientos continuamente se detengan en las enfermedades y la mala salud, casi seguramente experimentaremos estas dolencias en carne propia. Si continuamente pensamos en resultados negativos para nuestras relaciones o nuestra carrera profesional, lo más seguro es que éstos florecerán.

Por eso, a la hora de aumentar la confianza propia mediante el proceso de ejercer el poder cerebral sobre la imagen, es fundamental que estemos seguros de que lo que pensamos y visualizamos vívidamente sea algo positivo. Debe ser conducente a tu imagen propia y el mejoramiento de ésta, y los pensamientos deben dirigirse hacia tus metas, aspiraciones y felicidad en la vida. Entonces, ¿qué pasa si nos sorprendemos pensando en cosas negativas?

Déjame preguntarte qué haces cuando han procesado una película de tu cámara y, a la hora de revisar las fotografías encuentras una que está fuera de foco o mal revelada. Me permito sugerir que lo más seguro es que tires esa foto a la basura. Tu mente debe operar exactamente de la misma manera.

Si te sorprendes pensando en algo que no conduce a tus metas, debes decirte: "No voy a pensar eso. No quiero pensarlo". Debes insistirle a tu cerebro, con tus propias palabras, en que se deshaga de ese pensamiento y que lo remplace con un proceso de pensamiento más positivo. Hay que recordar, como ya he dicho, que durante las horas de vigilia tú controlas lo que piensa tu cerebro. Tu cerebro no te controla a ti.

3. No hay que temer al fracaso

El miedo al fracaso reduce la confianza y, naturalmente la automotivación también. Cuando nos enfrentamos a un nueva oportunidad o desafío, debemos preguntarnos qué e lo peor que puede pasar, y qué podría definirse como u fracaso. Debo sugerir, tal y como dice mi buen amigo Joh Evans Jones, que: "Cada fracaso es un resultado negativo' o en otras palabras, un resultado que no nos ha gustado.

El peligro que corren muchas maneras de entrenamien para desarrollar el pensamiento positivo es que algun personas se tornan insoportable e irracionalmente positiva es decir: sus mentes suben a tales alturas que ya no vale nada en la tierra. Es fundamental establecer un bue equilibrio. Uno debe ser realista. Después de haber refl xionado acerca del peor caso posible y después de pensar en cómo manejar tal situación si se presentara; en otras palabras, después de haber planeado una contingencia, hay que eliminar ese pensamiento por completo y centrarse en el plan del éxito.

Hagas lo que hagas, no debes tenerle miedo al fracaso. Eso es lo que le impide a muchas personas lograr sus metas, dado que no son capaces de enfrentar la posibilidad del fracaso. Algunas personas ni siquiera intentan cosas nuevas por efecto del miedo al fracaso, que ha reinado en sus cerebros durante años. Piensan en la derrota cada día, así que nunca realizan algo de verdad, lo cual produce sentimientos tales como la falta de confianza, la inseguridad y la infelicidad. Hay que recordar siempre esta cita maravillosa: "la única manera de conquistar al miedo es seguir haciendo aquello que temes".

Antes de dejar atrás el tema del fracaso, hay que señalar que a algunas personas los motiva el miedo al fracaso. Aunque los motive el miedo, nunca se visualizan fracasando en realidad. He allí la diferencia fundamental.

4. Las apariencias aumentan la confianza

Ya hemos examinado este tema anteriormente y no doy disculpas por haberlo repetido aquí. Debemos tomar en cuenta nuestra apariencia de manera constante. ¿Alguna vez has ido a una cita nocturna en la que todo el mundo estaba vestido de manera formal excepto tú? Si no te ha pasado, sin duda temes que alguna vez pueda suceder. Si algo así ocurriera, sufrirías una crisis de confianza. Tendrías el mismo cerebro y el mismo cuerpo, sin embargo, la apariencia externa te habría decepcionado. Debes entender la importancia de la apariencia exterior y gastar dinero para asegurarte de que te veas bien por fuera. Así, lo de adentro tendrá la oportunidad de subir a la misma altura. Sin embargo, como en todo lo demás, hay que ser realistas. Hay quienes son demasiado indulgentes con su apariencia y terminan por alimentar sus propios egos.

Hay que recordar la expresión: "Mientras más grande el ego, más pequeña la cuenta bancaria".

5. Hay que llevar registro de éxitos del pasado

Todo el mundo ha tenido éxito en su vida. De igual manera, todo el mundo tiene malas rachas en que pierde la confianza o experimenta un revés en su propio patrón de éxito personal. Cuando eso ocurre, es responsabilidad del individuo volver a levantarse.

El concepto de juntar un registro de los éxitos del pasado es muy sencillo. Debes recordar tu experiencia más temprana del éxito. A lo mejor fue en la primaria, cuando ganaste una carrera. A lo mejor fue la felicitación que recibiste por un dibujo o un cuadro que pintaste. Ahora bien, a partir de ese recuerdo temprano debes repasar cada experiencia exitosa que hayas tenido en tu vida. Lo puedes grabar palabra por palabra en un audiocasete. Lo puedes juntar para formar un álbum de recortes. Sea el método que sea, hay que agregarle cada pedacito de éxito que te llega para que después, cuando te enfrentes con una pérdida inminente de confianza propia, puedas regresar a tu registro y refrescar tu activo más valioso –el cerebro– con el recuerdo de algunas de esas experiencias exitosas. A su vez, esta actividad disminuirá el sentimiento de duda o pérdida de confianza que surgió a raíz de las circunstancias.

La motivación sólo se perpetúa cuando es recargada con la energía de la esperanza. Para poder motivarse, uno debe tener esperanza. Por supuesto que la esperanza tiene que ver con la anticipación del futuro. Luego, para que los individuos se puedan motivar, deben hacerse responsables de crear su propia esperanza. Los individuos verdaderamente automotivados no suponen que la esperanza esté fuera de sus manos o que sea ofrecida por otras personas o situaciones: el gobierno, la política global, el clima, o cualquier otro factor que no esté bajo su control directo.

Vamos entonces a dar los pasos necesarios para generar esperanza y convertirnos en personas enfocadas. Para que opere bien el cerebro, debemos darle metas que alcanzar. Por eso, el capítulo que sigue revela las etapas necesarias para imponer metas en nuestras vidas.

RECORDATORIOS DE BOLSILLO

Los cinco pasos para aumentar la confianza:

- Deshacerse de las excusas
- Utilizar el poder de la imagen
- No hay que temer al fracaso
- Tomar en cuenta la apariencia propia
- Mantener un registro de éxitos del pasado.

"PALABRAS SABIAS"

Entre mejor hacemos las cosas, menos elogios recibimos. Entre peor hacemos las cosas, más castigos recibimos.

CAPÍTULO 6

Cómo automotivarse imponiendo metas

IMPONERSE METAS

Lo extraordinario acerca de las metas es que son realmente muy pocas las personas capaces de decidir qué es lo que quieren. En Inglaterra es muy frecuente la expresión: "una persona que no va a ningún lado no suele llegar a ningún lado". Sin embargo, tiene algo extraordinario el hecho de que tan pocas personas *sepan* exactamente lo que quieren cuando se les pregunta. La gente habla en términos locuaces para decir, "quiero ser exitoso", o "me gustaría ser millonario" o "quiero ser feliz". Pero en realidad no saben qué es lo que quieren y después terminan por sentirse tristes y negativos porque no lo tienen.

Cuando la mente humana es capaz de concebir y creer en algo con precisión, tiene la obligación de lograr sus metas. La historia del hombre ha sido una historia a la busca de objetivos. Los psicólogos más eminentes consideran el cerebro y el sistema nervioso como un mecanismo muy complejo que automáticamente busca este fin. Así, tú y yo, y de hecho todos nosotros, tenemos el equipo necesario para lograr lo que queremos realmente, si se nos da la gana de usarlo. Si quieres algo con suficientes ganas y tienes el equipo adecuado para conseguirlo, ¡debes usarlo! Abajo encontrarás las etapas necesarias para imponer y lograr metas.

1. Hacer una lista de anhelos

Hay que hacer una lista de todas las cosas que quieres realmente, a largo y a corto plazo para tu vida profesional y tu vida privada, en términos tangibles e intangibles.

A la hora de hacer esta enumeración debes ser realista. He escuchado a algunos entrenadores de la motivación decirle al público que debe "imponer metas muy grandes". Están equivocados, y hasta peligrosamente equivocados. Eso puede sonar como algo sumamente motivador dentro de una sala de convenciones, sin embargo el peligro descansa en que las ambiciosas metas a corto plazo ni son creíbles, ni se logran. Quien se impone metas inalcanzables termina por desmotivarse y, en algunos casos, nunca vuelve a hacer el intento. Por otra parte, las metas grandes *sí pueden* imponerse a largo plazo. Deben ser organizadas, y no tiene nada de malo engrandecer el alcance de nuestro pensamiento para convertirnos en personas que piensan en grande. Debemos recordar que: *nos convertimos en lo que pensamos*.

No debemos incluir ciertos puntos en nuestra hoja de metas sólo porque pensamos que así debe ser. Los únicos pensamientos que debemos incluir son aquellos que anhelamos muchisisisísimo. No debemos señalar sólo las metas monetarias. Éstas deben convertirse en algo tangible, a menos que se trate de eliminar una deuda. El dinero se necesita para gastarse en algo específico y no por sí solo.

Hacer tu lista puede ser muy divertido, sin embargo, no es muy gracioso. Recopilar esta lista es algo que debe hacerse en privado a menos que tengas una relación muy íntima con otra persona. En tal caso, se deben compartir y discutir las metas. Muchas parejas rompen porque las dos personas tienen metas distintas. Es muy curioso el hecho de que sean pocas las personas que pasan un rato pensando en lo que quieren hacer de verdad, en lo que quieren lograr o experimentar durante sus vidas.

Un gran porcentaje de la población de Inglaterra se dedica a este mismo ejercicio los sábados por la tarde antes de que se anuncien los resultados de las quinielas de fútbol. La conversación en las salas de todo el país va más o menos así en esos momentos: "Supongamos que ganamos un millón de libras hoy mismo, ¿qué haríamos? Podríamos comprar una nueva casa, conseguir un coche nuevo, tomarnos unas vacaciones estupendas y dar un poco a la caridad (¡éste último es importante porque quizá mejore nuestra suerte!). Se anuncian los resultados y, aparte de uno o dos suertudos dentro de los diez millones que han participado en los pronósticos, la conversación ahora se convierte en: "Ojalá y hubiéramos tachado aquel otro número" o "no importa, nos tocará la semana que viene". Cambio de conversación.

2. Seleccionar una meta

Ahora bien, hay que seleccionar una meta primaria de la lista de metas, tomando en cuenta los siguientes tres puntos que debemos tener siempre en mente:

- La meta debe ser tan alta que valga la pena.

- La meta debe ser lograda en meses no en años, y lo ideal sería imponer un máximo de tres meses.

Ésta, la primera meta, debe ser algo que puedas alcanzar rápidamente. Como todos sabemos, el éxito genera más éxitos. Esta meta aumentará tu confianza en ti mismo y comprobará que el sistema funciona para ti. Aún más importante, el cerebro humano responde mejor a un plazo breve e inmediato que a un plazo largo.

- Hay que ser realistas acerca de cualquier consideración financiera, si la meta tiene que ver con dinero.

3. Definir el blanco

Hay que definir nuestras metas con mucho detalle. En esta etapa de imponerse metas es importante que tu activo más valioso, el cerebro, esté concentrado y totalmente abierto a la meta misma. A lo mejor tu meta indica que te gustaría perder peso; sin embargo, perder peso no es una meta. Hay que ser más específicos: ¿exactamente cuántos kilos quieres perder? A lo mejor la meta dice: "Me gustaría estar en buena forma física". ¿Exactamente qué significa la buena forma para ese individuo? A lo mejor significa poder hacer veinte lagartijas y correr cuatro kilómetros.

Por eso, tu blanco debe ser completamente cuantificable y medible. Otra meta puede ser: "Me gustaría ser ascendido". ¿Ascendido a qué? ¿Qué puesto, qué título, cuáles responsabilidades, etcétera? A lo mejor a otra persona le gustaría tener un coche nuevo. ¿Va a ser nuevo o de segunda mano? ¿Cuál es el modelo y el año, de qué color y con qué lujos? Debemos recordar el dicho: "La mente humana tiene la obligación de lograr todo lo que puede concebir y creer con precisión."

4. Imaginarse el logro

Imagínate que has logrado tu meta. Otra vez estamos hablando de utilizar tu activo más valioso. Debes dejar que la mente consciente y subconscientemente ejerza su imaginación de manera vivaz, poniéndote en la posición de alcanzar tu meta. Durante años he entrenado a muchas personas en el arte de hablar en público, y muchos de los delegados de mis cursos han llegado el primer día diciendose a sí mismos: "Soy un mal orador". Una de las primeras etapas para llegar a ser un buen orador es darle la vuelta a esa actitud negativa y decirse: "Soy un buen orador", imaginándose claramente el disfrute del éxito en cada oportunidad para dar un discurso.

A lo mejor todo eso suena muy trillado, y muchas personas que toman mis cursos de desarrollo personal han cuestionado la utilidad de esta etapa. ¿Cómo puedo imaginarme siendo el dueño de algo que no tengo? ¿Quién está engañando a quién aquí? Lo único que puedo decir es que ésta no es una técnica rara que yo haya inventado personalmente. Es uno de los principios más importantes para todo desarrollo personal y éxito posible. Hay que dejar que el cerebro tome un papel activo en estas etapas que conducen hacia el logro de tus metas: se trata del gran espectro de la visualización. El doctor Roger Bannister, el primer hombre del mundo que corrió una milla en menos de cuatro minutos, se visualizó corriendo un cuarto de milla cuatro veces, en menos de un minuto cada vez.

Un día llamé por teléfono a un buen amigo y colega de negocios, Frank Tijou. No lo había visto en varios meses. Mi primera pregunta, naturalmente, fue por su salud, a la cual respondió que le acababan de informar que tenía cáncer. Personalmente me dejó abrumado porque yo suponía que él sería el último en contraer esa enfermedad tan debilitadora, como seguramente piensan todos en mi situación. Entonces le pregunté en dónde le había brotado el cáncer y respondió que lo había contraído en las glándulas linfáticas.

Obviamente no soy ninguna autoridad en ese campo, sin embargo, me habían dicho que era una de las formas más graves de cáncer que había. Francamente impresionado, le pregunté cómo se sentía. Me contestó: "¡De maravilla!" Casi gritaba estas palabras por la línea telefónica. Entonces me contó que tenía que pasar por seis tratamientos de quimioterapia, que perdería todo el cabello y que se sentiría terriblemente enfermo justo después de cada tratamiento. Se daría un plazo corto para quedarse en casa y superar la enfermedad, sin embargo, iba a estar muy ocupado en un futuro próximo. Después del tratamiento final, habría un periodo en el que tendría que esperar una cita final con el doctor. Entonces él y su esposa, Kate, tenían pensado irse de vacaciones a Turquía. Mientras escribo esta historia unos dos años y medio después, Frank está más ocupado que nunca. Él y su esposa disfrutaron de sus vacaciones, y es un hombre saludable y en buena forma física. La combinación de una ayuda médica brillante y la visualización de unos resultados exitosos fueron demasiado poderosos para el cáncer de Frank.

Tu cerebro puede ser tu mejor aliado y tu mejor apoyo. Puede ser tu fanático más grande si le das la oportunidad de serlo. Ciertamente será tu empleado más productivo si le das el entrenamiento adecuado. Para continuar con esta analogía, para algunas personas el cerebro es su empleado más caro porque siempre supone que ocurrirá lo peor, inventa todas las excusas posibles para explicar por qué no puede hacer nada, y continuamente ve lo negativo como algo que va en contra de lo positivo.

5. Fijar una fecha límite

Ahora debes fijar una fecha límite para lograr tu meta. Puedes determinar la fecha exacta en que quieres lograr esa meta. Todos respondemos a fechas límites. Si sabemos que un avión o un tren sale a cierta hora, invariablemente lo alcanzamos. Por eso debes decidir cuándo quieres lograr tu(s) meta(s).

¿No es curioso el hecho de que todos los años la gente diga que irá de compras navideñas con antelación o incluso que comprarán los regalos paulatinamente durante todo el año? ¡Sin embargo, todos los años, la vasta mayoría de las compras navideñas se hacen durante las últimas dos semanas! ¡Parece que el cerebro humano responde muy bien a las fechas límite!

6. Llevar un recordatorio contigo

Siempre debes traer tus metas contigo. Todas las personas ambiciosas que luchan para lograr sus metas deben llevarlas consigo como un recordatorio y para brindarse un propósito en la vida. Ya hemos dicho que la vida no consiste en una sola gráfica impresionante que sube con logros constantes. Todos tenemos nuestros sube y bajas, nuestros días buenos y malos. Muy pocas personas han tenido que aprender cómo hacer frente al éxito, y cuando ya lo hayan experimentado, naturalmente les motiva más en lugar de menos.

Si llevas tus metas contigo allí estarán siempre, escritas en un diario o en una tarjeta como un recordatorio constante. El papelito en cuestión se convertirá en tu propósito y te salvará de cualquier momento de distracción, de duda o de iniquidad. Muchos yates están navegando los océanos del mundo sin piloto en este momento. Las velas están programadas, la maquinaria automática está operando para dar las vueltas necesarias y los yates mismos invariablemente se encuentran en el rumbo correcto hacia su destino.

Robin Fielder, mi antiguo socio y cofundador de Desarrollo del Liderazgo, cuenta la siguiente historia: estaba viajando en su yate cerca de la Isla Hayling con un invitado que le preguntó: "¿Por qué algunos yates navegan hacia el norte y algunos hacia el sur, cuando el viento llega de una sola dirección, es decir del oriente?" Fielder respondió: "No importa el sentido del viento tanto como la posición de las velas".

Así son también la automotivación y el logro de metas: lo esencial son las etapas.

TU PLAN PERSONAL

Eso nos conduce a la parte final del tema de fijar metas y logros. Lo que hemos hecho hasta el momento es construir las etapas en que decidirás qué es lo que quieres realmente para luego entrenar al cerebro, que se convertirá en tu empleado más efectivo y rentable. Ahora bien, la etapa final debe ser la redacción de un plan.

Para seguir con nuestra analogía náutica, podemos imaginarnos un crucero que zarpa de un puerto del Reino Unido para viajar hasta Sydney, Australia. Un día después de dejar el puerto original, un pasajero le pregunta al capitán: "¿Qué ruta seguiremos?" A eso responde el capitán: "Bueno, es una pregunta interesante. Claro que podríamos ir por el camino más largo, o por otro lado, podríamos optar por la ruta corta a través del Canal de Suez. Es una pregunta interesante, y la voy a investigar".

Ahora bien, el pasajero es una persona muy positiva y sigue con la segunda pregunta: "Bueno, capitán, me dará gusto enterarme de la respuesta. Ahora dígame, ¿en dónde se encuentra nuestro primer puerto de escala? Sin duda tendremos necesidad de obtener más combustible y a lo mejor algunos alimentos; además me gustaría mandar unas tarjetas postales".

Otra vez el capitán le responde: "Es una pregunta interesante. Tiene razón, tendremos que parar en algún lugar. No se preocupe, haré una llamada telefónica para enterarme de la respuesta". Reconozco que esta es una situación ridícula, porque en el mundo real los dueños del crucero, después de haber determinado el destino y la fecha de embarcación, etcétera, preparan un plan general para guiar el viaje. Por supuesto que determinan la ruta tanto como las paradas, la lista de miembros de la tripulación, las cantidades adecuadas de combustible y alimentos, el número de boletos que han de vender y hasta las agencias que deben contratar para venderlos. Asimismo cada detallito se hubiera planeado en nuestro crucero.

Lo que quiero tratar aquí es la vida y sus metas. Ese crucero, sin un plan general, casi seguramente habría naufragado en las primeras rocas con las que se topara. Por eso, a la hora de preparar un plan para tus propias metas, hay que seguir los siguientes pasos: conseguir una hoja de papel y escribir la meta exacta hasta arriba con la fecha final de su cumplimiento, después hay que hacer una lista de todas las etapas necesarias. Hay un ejemplo sencillo en la siguiente página para ejemplificar cómo se hace.

Aceptamos que eso puede costar un poquito de esfuerzo, y a lo mejor hasta un cierto nivel de reflexión y de trabajo; sin embargo, estamos hablando de tu meta y de tu vida. ¿Valdrá la pena?

Después de completar el plan, lo único que hay que hacer es centrarse en la primera etapa. Ya que esté completa, hay que seguir con la siguiente. Cada etapa del plan debe tener su propia fecha límite. Lo que hemos hecho aquí es dividir esa meta en una serie de pasos pequeños, fáciles de manejar y aun más creíbles, empleando uno de los grandes principios de las ocho leyes del éxito, que es el siguiente:

> EL ÉXITO ES COSA FÁCIL CUANDO SE TOMA POR CENTÍMETROS, SIN EMBARGO ES DIFÍCIL CUANDO SE TOMA POR METROS.

META: Perder 7 kg	*Fecha inicio* ________	*Fecha límite* ________
Plan de acción		*Fecha de acción*
Obtener una revisión médica completa		________
Seleccionar la dieta adecuada		________
Comprar provisiones para el plan de dieta		________
Iniciar plan de ejercicio:		
1ª semana: perder 1 kilo		________
2ª semana: perder 1 kilo (2 kilos)		________
3ª semana: perder 1 kilo (3 kilos)		________
4ª semana: perder 1 kilo (4 kilos)		________
5ª semana: perder 1 kilo (5 kilos)		________
6ª semana: perder 1 kilo (6 kilos)		________
7ª semana: perder 1 kilo (7 kilos)		________

Este es un plan sencillo. Se centra en una sola etapa a la vez, y se marca cada una conforme se vaya logrando.

Así que ya hemos visto la fórmula para lograr las metas. Es infalible, aunque nada más se trate de puro sentido común. Entonces, ¿por qué será que no todos obtienen lo que quieren en la vida? Hay tres razones muy sencillas:

1. No creen que sí pueden, por el condicionamiento negativo de la vida.
2. No les han mostrado cómo lograrlo.
3. Porque no lo quieren de verdad, y por eso no están dispuestos a pagar el precio de un poco de trabajo o esfuerzo adicional para poder lograr sus metas.

> *Zig Zigglar, que bien podría ser el mejor motivador vivo, nos señala que nadie paga el precio del éxito, sin embargo todos disfrutamos los beneficios.*

Ahora vamos a seguir con algunas ideas adicionales que nos ayudarán a aumentar la automotivación.

EL LUGAR CORRECTO, EL MOMENTO ADECUADO

Algunas personas se convencen de que no tienen nada de suerte. Ojalá aceptaran el hecho de que hay una gran diferencia entre la suerte y el azar. El azar rige las ganancias de la lotería o del caballo al cual has apostado. Para poder estar en el lugar correcto en el momento adecuado, un individuo seguramente ha hecho algo con antelación. No estaba sentado en su casa esperando a que algo bonito le pasara.

La suerte se puede dividir en el acróstico que sigue:

S Se puede

U Unificar el

E Éxito

R Rodeándose

T Totalmente por la

E Eficiencia

La eficiencia consiste en hacer algo. Unificar el éxito consiste en saber en donde estás el día de hoy, saber hacia dónde vas en el futuro y cómo piensas llegar hasta allá. Acabamos de tratar este tema bajo la fijación de metas y logros.

LA COMPAÑÍA ADECUADA

Para mantener nuestro nivel de motivación hay que revisar la lista de conocidos con quienes nos asociamos. ¿Son positivas o negativas las personas a quienes conocemos y quienes nos rodean? Si continuamente nos mezclamos con personas negativas que nos critican, nos condenan, se quejan y encuentran problemas con todo y con todos, es casi seguro que, por más positivo que seas, terminarás por parecerte a ellos. También se aplica lo contrario. Si conoces y circulas entre personas positivas y entusiastas que tienen metas, obviamente tendrán esperanzas también. Lo más seguro es que se les pueda describir como personas "motivadas".

Luego, debemos reflexionar continuamente respecto a quiénes conocemos, con quiénes nos asociamos y con quiénes conversamos. Para mantener muy alta nuestra motivación hay que evitar hasta donde sea posible a las personas negativas. Debemos ser realistas; a lo mejor esa persona negativa es un pariente cercano o un ser querido. Hay que preguntarse, ¿por qué dijo eso? Se trata del equilibrio entre empatía y ego que ya hemos discutido. También hay que evitar a personas negativas hasta donde sea posible.

DISCIPLINARSE

El disciplinarse desempeña un papel activo en la infraestructura de una persona automotivada. Hay que cumplir tareas importantes, que a menudo son desagradables, antes de dedicarse al placer. Las personas que a veces se describen como los dueños de un carácter más bien débil tendrán dificultades en disciplinarse, y se dedicarán al trabajo que más les gusta o dejarán por un lado aquellas tareas que son importantes. Me acuerdo que cuando era niño mi madre me dijo que el diablo ve por encima de nuestros hombros para animarnos a hacer las cosas que no debemos.

A lo mejor una manera más aceptable de comunicar este principio sería manejar la idea de que todos tenemos dos empleados, el *señor Éxito* y el *señor Fracaso.*

El señor Fracaso nos animará a que otros hagan nuestro trabajo, a postergar las cosas que debemos hacer, y a diferir cualquier cosa que pudiera resultar desagradable. El señor Éxito es todo lo contrario. Por eso, ¡hay que despedir al señor Fracaso!

Después de haber avanzado hacia un control más amplio, o como acabamos de decir, hacia una vida más disciplinada, hay que premiarse con un regalo. Aquí volvemos al viejo tema de la esperanza y la anticipación de algún hecho. Hay que mantenerse en buena forma física y gozar de buena salud. Los consultorios médicos del país están llenos de personas que no padecen enfermedades genuinas o verdaderas. El hecho es que han contaminado su activo más valioso. Han incurrido en lo que Zig Ziggtar llama "pensamientos putrefactos".

¿No te parece curioso el hecho de que las personas que trabajan por cuenta propia casi no se enferman y tienen muy pocas dolencias? ¿Por qué será? Porque no les es costeable estar enfermos. También se aplica lo contrario: las personas que tienen pocas esperanzas, metas o aspiraciones, quienes no tienen nada que anticipar, se convierten en ocupantes regulares del consultorio médico y parecen sufrir de cada dolencia imaginable.

La palabra "jubilación" es temible. Miles y miles de personas se dedican a su empleo y su empresa mientras anticipan su jubilación Las estadísticas nos muestran los resultados espantosos respecto a cuántas personas mueren uno o dos años después de jubilarse. La jubilación que anticipaban era una meta, y después de haber logrado esa meta se enfrentaron al vacío con nada qué anticipar o lograr. No habían preparado o planeado aquellos años maravillosos en los cuales no habría que trabajar para ganarse el pan. *Nadie debería de jubilarse nunca; solamente deberían dejar de trabajar para ganarse el pan.*

MOTIVARSE CON LA MOTIVACIÓN AJENA

Finalmente, para aumentar y mantener nuestra propia automotivación, una de las técnicas más grandes y finas (lo cual puede sonar locuaz, y no obstante es acentuadamente verdadero y efectivo) es motivar a otra persona. Como siempre, debemos mencionar antes que nada el principio que dice:

"EN ESTA VIDA SIEMPRE RECIBES LO QUE DAS".

Y esta ley, que he tomado una vez más de las leyes del éxito, termina diciéndonos que el premio de lo que hemos dado será diez veces más grande.

La motivación de otra persona puede ser tan sencilla como una sonrisa. Es interesante que cuando vamos caminando por la calle, o estamos sentados en el coche aburridos por el tráfico, la sonrisa de otra persona casi siempre es pagada con otra sonrisa. ¿No sería difícil estar desmotivado a la hora de sonreír? Una de las grandes diferencias entre los seres humanos y los animales es nuestra habilidad para reír. Casi cada problema del mundo se puede resolver con sentido de humor. Eliminamos las presiones y las preocupaciones con la risa o una broma.

RECORDATORIOS DE BOLSILLO

Hacer un plan detallado, y entonces:

- Tomar control de tu propia suerte
- Conocer a la gente adecuada
- Disciplinarse
- Eliminar al señor Fracaso
- Motivarse con la motivación ajena

"PALABRAS SABIAS"

Las oportunidades se multiplican en cuanto las tomamos; si las descuidamos se mueren.

CAPÍTULO 7

Motivar a la persona

Durante alguna etapa de nuestras vidas, la mayoría de nosotros nos enfrentamos con otra persona –un empleado, amigo o miembro de la familia– y acabamos pensando: "Ojalá y pudiera motivarlo. Debe haber algo que lo podría animar", o "¿qué sería lo mejor que podría hacer para cambiar su actitud y motivarle el gusto por la vida?"

Muchos administradores se enfrentan con esta situación continuamente, es decir, con el asunto de cómo motivar al personal que contratan. Siempre debes preguntarte lo siguiente: "¿Por qué quiero motivar a esta persona?" Si es miembro de la familia o un amigo cercano, suele ser porque esa persona no está cumpliendo con su verdadero potencial. Está perdiendo oportunidades y no es feliz consigo mismo.

Cuando se trata de un empleado, lo mismo se aplica hasta cierto punto. Creemos que una persona tiene un potencial superior al que está mostrando y, como sus empleadores, tenemos la responsabilidad de maximizar el potencial, el desempeño y, por supuesto, los resultados de cada miembro de nuestro equipo.

¿La falta de motivación es causada por uno de los desmotivadores ya mencionados (véase capítulo 3), o existe otra causa profunda? Hay que preguntarse ¿por qué está desmotivado?, y estar preparado para aceptar la respuesta y posiblemente la culpa por haber sido la causa. Si eres la causa, tienes la responsabilidad de actuar y, posiblemente, de cambiar.

Es imposible motivarse si las mismas condiciones que nos inhiben no conducen a la motivación personal. La tragedia es que la mayoría de los administradores no son capaces de llevar a cabo un cuestionamiento serio sobre sí mismos porque temen la respuesta y no pueden aceptar que son la causa.

Ahora bien, supongamos que después de llevar a cabo un autocuestionamiento total, resulta que la falta de motivación no es producto del ambiente, de tu estilo administrativo o de algunos otros de los factores desmotivadores que se hallan bajo tu control. En ese caso, puedes proceder a las dos etapas fundamentales que forman parte de la teoría de motivación de la persona.

Etapa 1: Enterarte de qué es lo que realmente quiere el desmotivado.

Etapa 2: Mostrarle cómo conseguirlo.

¿QUÉ ES LO QUE QUIERE?

¿Cómo podemos enterarnos de lo que alguien quiere realmente? La respuesta más sencilla, por supuesto, es preguntarle precisamente eso. Seamos realistas, si nos aproximamos a uno de nuestros empleados y le preguntamos qué es lo que realmente quiere allí en frente de sus colegas, podemos estar seguros de que no nos va a dar una respuesta sincera.

Esta pregunta debe hacerse absolutamente en privado. Normalmente, sólo es posible introducir esta cuestión a la conversación durante un periodo en el que el empleado ha desarrollado confianza con su empleador o administrador. Uno también puede enterarse mediante la observación y, por supuesto, escuchando las conversaciones durante los periodos de descanso. Uno debe aceptar, tal y como hemos dicho previamente, que muchas personas de hecho no saben qué es lo que quieren y, sin embargo, son desdichadas porque no lo tienen. Eso acaba en una frustración interior que no conduce a la motivación individual.

Ahora bien, si alguien no sabe qué es lo que quiere es extremadamente difícil motivarlo. Muchos jóvenes se están graduando de la escuela o de la universidad sin estar seguros de qué profesión o empleo quieren realmente. Muchos de esos jóvenes padecen una enorme frustración y, en algunos casos, una tremenda pérdida de confianza en sí mismos cuando ven que sus colegas progresan y luchan hacia adelante dentro de sus profesiones particulares.

No hay una solución sencilla para ayudar a una persona a enterarse sobre lo que de verdad quiere. La aproximación del sentido común nos indica que un líder o administrador sensible debe ayudar a ampliar el pensamiento del individuo en cuestión mediante la conversación: hablando y sugiriendo, sin exigir nada de ninguna manera.

No debes imponer tus propias aspiraciones o metas, porque entonces se convierten en una manera de manipulación. En algunos ambientes empresariales la motivación se logra con la participación del individuo en situaciones laborales que se hallan dentro de otras divisiones de la misma compañía. A veces será necesario mandarlo al campo para trabajar en otra oficina. Sin embargo, muchos individuos son capaces de resolver el problema finalmente por su cuenta.

¿CÓMO PUEDEN OBTENERLO?

La segunda etapa —mostrarle a la persona en cuestión cómo puede obtener lo que quiere de verdad— suena más fácil de lo que en realidad es. Sin embargo, ya que alguien sabe realmente qué es lo que quiere hacer, lograr o tener; una persona en particular, por ejemplo el líder o administrador, en la mayoría de los casos, puede planear una estrategia para ayudarle en el logro de sus metas. Aquí es donde el administrador verdaderamente efectivo se realiza. A veces la primera etapa puede consistir en una capacitación adicional. La buena capacitación se torna sumamente motivadora para aquellos que tienen la fortuna de recibirla. En Inglaterra seguimos subvalorando la importancia de exponer a la gente a más conocimientos para el desarrollo de sus habilidades. En otros casos, puede ser tan sencillo como trazar un camino profesional. Exactamente lo mismo se aplica a un pasatiempo o al mundo de los deportes; hay que demostrar para luego planear una estrategia para el desarrollo personal.

Los empleadores deben aceptar el hecho de que si no tienen el vehículo de oportunidad disponible para satisfacer la meta o la ambición de un individuo, entonces esa persona cambiará de aparador para buscar nuevas oportunidades profesionales. Ya se fueron para siempre aquellos días en que la gente entraba a una compañía y se quedaba allí por el resto de su vida profesional. En algunas instancias, los encargados de la selección de personal rechazan a las personas que han estado con una compañía durante demasiado tiempo.

Sin embargo, es mucho mejor ejercer un estilo de administración abierto en el que tanto el administrador como el empleado aceptan el hecho de que en alguna etapa u otra, el empleado se irá a otro lugar. Es mucho más saludable cuando el empleador tiene el orgullo y la satisfacción personal de ver a sus antiguos empleados avanzando exitosamente a lo largo de sus carreras profesionales y alcanzando resultados sobresalientes. En lo personal, me encanta recibir noticias de mis antiguos empleados y de los éxitos de sus vidas. Vamos a hacer una lista con algunas ideas para motivar e inspirar a otras personas:

1. Aprende a escuchar

Nuestras posibilidades para inspirar a la persona en cuestión serán nulas a menos que tengamos la confianza y el respeto del individuo. Eso significa, luego, que el motivador debe convertirse hasta cierto punto en un confidente. Hay una expresión al respecto: "Un problema compartido es un problema dividido; una felicidad compartida es una felicidad duplicada." Por eso, los empleados, asociados y colegas deben saber que pueden aproximarse a ti, que pueden hablar contigo, que no les vas a arrancar la cabeza, que siempre los escucharás como debe ser y que estarás preparado para conocer sus problemas y sus preocupaciones.

2. Brinda confianza

Sucede que si uno va a ser confidente y a ganar el respeto de los demás, lo que otros te digan no debes contarlo a nadie.

Cuando alguien te cuenta sus secretos, debe estar totalmente seguro y tener la confianza de que seguirá siendo un secreto, tal y como debe de ser. Muchos gerentes no mantienen la lealtad o el respeto de sus subordinados porque no son capaces de mantener la boca cerrada. No es sorprendente que aquellas personas que saben escuchar y que también tienen la integridad de no contar la información confidencial que les confían los demás siempre atraen a las demás personas dentro del ámbito empresarial. Conocí a una gran dama quien, aunque tenía casi ochenta años y estaba casi tullida por la artritis, recibía visitas continuas de una gran cantidad de amigos, vecinos y parientes. Aun más extraordinariamente resultó que cuando menos el sesenta o setenta por ciento de sus visitas tenían menos de treinta años. Todos parecían dejar su casa con una sonrisa en la cara y un paso leve. Esa mujer los escuchaba, mostraba interés en sus asuntos y los animaba.

3. Sorprenderlos haciendo algo bien

Las maneras de aumentar la motivación de una persona son muchas y variadas, y quizá la más sencilla de todas es aplicar esa gran expresión: "Sorpréndelos haciendo algo bien". Todos los gerentes saben cómo decirle al empleado que está haciendo algo mal, sin embargo, muy pocos saben decirle que ha hecho algo bien. La crítica, por supuesto, suena mejor cuando se da a modo de una explicación.

¿Qué tal si haces tu propia lista con métodos adicionales para aumentar el nivel de motivación entre tu propia gente?

Después, con el título Concursos como Incentivo (en el capítulo 11) veremos algunas maneras de premiar los buenos resultados; aquí nos limitaremos a notar que algunos de los modos más sencillos de comunicación pueden aumentar drásticamente la motivación y el rendimiento. Una carta de agradecimiento a un empleado por alguna tarea, contribución, apoyo o resultado cuantificable se recibirá con placer y, en algunos casos, será atesorada.

4. Demostrar que crees en ellos

Las personas aumentan o no su confianza dependiendo de la que muestre su administrador respecto a ellos. Así que, para inspirar aun mayores logros o rendimiento individual, tú como inspirador, debes creer que la persona es capaz de hacerlo y demostrar tu fe en ella con expresiones tales como: "Sé que puedes hacerlo", "eres muy bueno para esto", o "éste es uno de tus fuertes". No sólo debes mostrar tu fe y, por supuesto, tu confianza en el individuo en cuestión, debes dejar que esa confianza sea presenciada y escuchada por otros colegas con quienes se asocia. Por supuesto que debes ser realista, y no debes disminuir tu propia credibilidad desgastando una frase tipo: "Tú eres bueno para esto" en una actividad para la cual otros individuos han manifestado su incompetencia anteriormente. Sin embargo, a pesar de eso, la gente suele aumentar su desempeño establecido dada tu fe en ellos.

5. Un mensaje positivo

El motivador tiene que motivar, así que siempre debes tener algo positivo que decir. Hay que asegurarnos de que somos el tipo de persona que nos gustaría conocer y ver, y que nos puede motivar.

6. Fijar los desafíos

Algunas personas tienen una mecha muy corta, mientras otras tienen una muy larga. Algunos empiezan a subir la escalera del éxito mientras están en la escuela todavía; otros siguen en el primer escalón a los cincuenta años. ¡Creo que el coronel Sanders, quien se hizo famoso con los restaurantes Kentucky Fried Chicken, no empezó hasta que cumplió ochenta años! Por eso, a veces la gente tiene que ser desafiada para encender aquella mecha que la anima a ambicionar alguna tarea o logro. Los desafíos pueden darse de múltiples y variadas maneras, tal y como veremos en los ejemplos positivos que presentaremos con más detalle. También existen los desafíos negativos: "Apuesto a que no puedes"; o "aposté en tu contra". Sin embargo, los desafíos siempre deben comunicarse con buenos sentimientos y voluntad, no al contrario.

7. Hay que tener cuidado con el desafío negativo

Este precepto es casi igual que el del número 6, con la diferencia de que se expresa con mal humor, mala voluntad y una falta de fe. Aun más peligrosa es la extensión del desafío negativo, que se puede convertir en un insulto. Un estilo de administración que se aplica ocasionalmente implica el hecho de que el administrador ignore a un miembro del equipo si rinde por debajo de su nivel de manera constante. Debo agregar que esta técnica debe ser aplicada solamente como un último intento después de utilizar cada manera de comunicación y motivación administrativa disponible. Parece que este desafío va prologado así: "Como eres un inútil total, y como este proyecto será un desperdicio de mi tiempo de todas maneras, apuesto a que no puedes...".

Déjame volver a subrayar que esta es definitivamente (y quisiera reiterar la palabra *definitivamente*) una manera de motivar extremadamente peligrosa y, aun si es exitosa, no podrá fomentar la relación entre la administración y los empleados en una etapa inicial. Si alguna vez se ha obtenido éxito mediante esta manera de motivar, el tiempo creará un lazo a pesar de ella si el administrador es un verdadero motivador.

8. Evitar los sarcasmos

El sarcasmo rara vez se entiende y suele ser malinterpretado. Lo cierto es que no es un estilo de comunicación motivador, dado el hecho de que el motivador quiere que la otra persona escuche y responda a lo que tiene que decir. Los comunicadores sarcásticos suelen pensar que son graciosos. La verdad es que no lo son y, temprano o tarde, convierten a su gente en un grupo de cínicos. El cinismo y el sarcasmo jamás pueden conducir a una comunicación motivadora.

9. Cosechar la miel

En días soleados de buen clima, las abejas obreras salen a cosechar el polen. Llenan sus bolsas de miel y regresan a la colmena. ¿Eres el tipo de persona con quien otros quieren seguir trabajando ya que han tenido algún éxito? Déjame preguntarte otra cosa: ¿A quién le quieres informar después de haber tenido algún éxito? ¿Con quién quieres compartir esa felicidad o ese placer? Para motivar a otra persona debes, por supuesto, ser el tipo de persona a quien los subordinados quieren informar de sus éxitos instantáneamente por teléfono, con una visita, con una carta, etcétera; y tu respuesta siempre debe ser de genuino entusiasmo, placer, interés y felicitación.

RECORDATORIOS DE BOLSILLO

Para motivar a alguien exitosamente, hay que:

- Eliminar los desmotivadores
- Enterarse de qué es lo que quieren
- Demostrarles cómo pueden obtenerlo

Ahora viene la inspiración:

- Ser un buen escucha
- Ser confiable
- Sorprenderlos haciendo algo bien
- Demostrarles que crees en ellos
- Ser un portador de buenas nuevas
- Fijar los desafíos
- Tener cuidado con los desafíos negativos
- Evitar sarcasmos
- Atraer a aquellas personas que son exitosas

"PALABRAS SABIAS"

Cuando un hombre culpa a los demás de sus fracasos, más le vale darle crédito a los demás por sus éxitos.

HOWARD NEWTON

CAPÍTULO 8

Cómo motivar al equipo

Es impresionante ver lo que se puede lograr con un equipo sumamente motivado. Después de dejar el Colegio de Agricultura, obtuve un año de experiencia laboral en una granja de Cranbrook, Kent. Un grupo de compañeros nos juntamos para formar el Club de Rugby de Cranbrook. Había una gran cantidad de oposición y nos enfrentamos a muchos problemas, el primero era el hecho de que nc teníamos una cancha en donde jugar, el segundo que nı teníamos dinero para comprar ni siquiera las camisa deportivas. Finalmente una escuela local nos prestó l: cancha, y lentamente se superaron las demás dificultades La inspiración, motivación y fuerza impulsora fueron obr de dos personas —los hermanos McMinnies— y fue s inspiración la que animó al resto del equipo a creer:

- Que teníamos algo que demostrar
- Que éramos unos pioneros
- Que el reconocimiento era un estimulante
- Que compartíamos los premios del éxito.

Padecimos de falta de habilidad y talento durante aqu primer año, sin embargo teníamos una cantidad enorme (entusiasmo, determinación y motivación. Entrenábam‹

como equipo una noche a la semana y después premiábamos nuestros esfuerzos en la Cantina del Venado Blanco. La primera temporada jugamos quince veces sin perder un solo juego. ¿Por qué? Seguramente no se debía a nuestras habilidades, sino a que éramos sin duda un equipo motivado.

Al año siguiente, desafortunadamente no nos fue tan bien. Algunos de los miembros originales del equipo se mudaron lejos, los hermanos McMinnies no pudieron dedicarle tanto tiempo como antes al club, se juntaron nuevas personas y las causas originales de nuestra motivación ya no eran tan tangibles. Esta es otra lección más para todos los gerentes y motivadores de los equipos. Debemos acordarnos de la siguiente ley: *La motivación, ya que se establece, no dura para siempre*. Por eso muy pocos equipos deportivos se hallan consistentemente en la cima. Requiere de grandes habilidades y mucha disciplina. La diferencia entre un equipo y un grupo es que el equipo se torna interdependiente para lograr un desempeño total. El *Diccionario breve* de Oxford define el trabajo en equipo como "un esfuerzo combinado, una cooperación organizada".

En el mundo deportivo aclamamos a los equipos y alabamos el espíritu en equipo. Ojalá y los gerentes y supervisores de la comunidad aplicaran los mismos principios. Sería verdaderamente maravilloso ver los resultados que se podrían generar con una comprensión de los principios ya existentes en el mundo deportivo.

DEFENDER LOS PRINCIPIOS

Ahora bien, vamos a ver algunos de los principios deportivos que se pueden aplicar tanto social como comercialmente. Para empezar, me gustaría subrayar la importancia de la siguiente expresión: "Que el clima sea adecuado". Este principio, por supuesto, se aplica no solamente a la automotivación del individuo, sino también a la conversión del grupo en un equipo. Para que la gente esté motivada y feliz en su trabajo hay que seguir cinco principios del sentido común:

1. Deben ser capaces

Las personas deben ser capaces de llevar a cabo el trabajo o la tarea para el puesto que tienen. Existe un dicho al respecto: "Una clavija cuadrada en un hoyo redondo". En el mundo de ventas, llegar a ser un buen vendedor es frecuentemente considerado como un paso fundamental a tomar antes de llegar a convertirse en un gerente de ventas. Esto es cierto pero no significa que un buen vendedor será necesariamente un buen gerente de ventas. No obstante, la siguiente afirmación contraria es muy acertada: ALGUIEN QUE NO ES UN BUEN VENDEDOR NUNCA LLEGARÁ A SER UN BUEN GERENTE DE VENTAS.

Mientras asistía a una junta de ventas regional de uno de mis clientes, tuve ocasión de observar esta situación tan desafortunada. El equipo de ventas seguía a un gerente de ventas que era, obviamente, la "clavija cuadrada en un hoyo redondo". Su puesto debería haber sido gerente de administración de ventas, porque allí descansaban sus habilidades, talentos, confianza y entusiasmo. El equipo de personal estaba sufriendo los efectos también, dado que estaba rindiendo por debajo del cuadro regional de doce zonas.

El gerente de ventas tenía una personalidad introvertida, nunca había alcanzado mucho éxito con las ventas y se hallaba más cómodo ante la computadora que con la gente. Jamás debieron haberle otorgado el puesto de gerente de ventas o de líder de otras personas.

2. Deben estar en buena forma

Sí, las personas deben ser capaces de mantenerse en buena forma, alcanzada por medio de la capacitación y programas de desarrollo personal, para el papel que les toca desempeñar dentro del equipo. Sin embargo, aquí me gustaría mencionar otro de los viejos clichés anglosajones: "Puedes llevar un caballo al agua, pero no puedes obligarlo a beber." Si el individuo no quiere capacitarse o no quiere el puesto que se le han asignado, jamás estará en buena forma.

3. No hay que exagerar

Para estar feliz en nuestra profesión no debemos trabajar demasiado. Debemos alcanzar un buen equilibrio. Los ingleses tienen una expresión: "Trabajar sin jugar hace de Juanito un niño simplón". De igual manera, nuestro rendimiento decae cuando no disfrutamos del contraste de otras actividades en nuestras vidas. El contraste es absolutamente fundamental para mantener un máximo entusiasmo y efectividad.

4. Deben experimentar el éxito

Para que un equipo –compuesto por supuesto de individuos– alcance el éxito, primero debe estar feliz, y esa felicidad se puede desarrollar con el disfrute del sentimiento del éxito. Aquí otra vez mencionamos aquella ley del éxito que nos dice: *vernos progresar nos motiva.*

5. Deben tener la actitud adecuada

En este capítulo respecto a cómo motivar al equipo, debemos recordar que estamos visualizando ideas que pueden aplicarse por igual a un equipo de trabajo, a uno de tiempo libre o a uno que se dedica a cualquier actividad.

Cuando la gente tiene tiempo libre o participa de un pasatiempo social o actividad caritativa, es menos probable que le ofenda la palabrota *Trabajo*, porque el trabajo normalmente implica algo que no haríamos sin recibir un premio, por supuesto, a modo de dinero para la mayoría de las personas. Así que la actitud que tenemos hacia el trabajo es muy importante.

Si la gente fuera capaz de aceptar eso, entonces en la mayoría de los casos mientras más éxito se tuviera en el trabajo más premios se recibirían. Por otro lado, ésto sólo puede resultar en un disfrute mayor cuando nos encontramos fuera del trabajo durante los fines de semana, las noches y los días festivos o vacaciones.

No dejan de asombrarme las diferencias que encuentro en la actitud que tiene la gente hacia el trabajo. En algunas de las empresas que visito, particularmente dentro del mundo de la publicidad y la promoción de ventas, veo a personas que empiezan a las 7:30 de la mañana y siguen hasta las 7:00 u 8:00 de la noche. Por supuesto que no lo hacen toda la semana, pero sí están allí al pie del cañón cada vez que es necesario. En otras compañías veo a personas que cumplen con sus ocho horas y que salen corriendo por la puerta un minuto antes. Tienen demasiadas ganas de dejar el lugar de trabajo.

CREAR UN AMBIENTE DE EQUIPO

El ambiente debe ser bueno. Los siguientes diez consejos sirven para crear el ambiente adecuado, para que el equipo se torne automotivado de una manera natural. Seguramente este es uno de los principios más grandes del buen liderazgo motivador, es decir, hacer sentir que el lugar en que se trabaja no fue impuesto, sino que es un ambiente natural y positivo para la expresión motivadora.

1. Condiciones positivas de trabajo

Esto significa que el equipo, las herramientas y los sistemas requeridos para el uso de miembros del equipo deben funcionar de verdad. Cada uno de nosotros ha experimentado alguna vez la frustración a causa de un equipo o sistema defectuoso. No quiero decir que algo cause desmotivación cuando se rompe, quiero señalar que desmotiva si *continúa* sin repararse.

El ambiente de trabajo debe estar, por supuesto, limpio y cómodo. La gente debe estar orgullosa del lugar en donde trabaja. Aquí el equilibrio es vital. No soy ningún experto respecto a la cantidad óptima de metros cuadrados por empleado, etcétera; sin embargo, sí he notado que baja la productividad enormemente cuando las personas reciben oficinas grandes, lujosas y con demasiado espacio. Por otra parte he notado una cantidad increíble de productividad y espíritu de equipo motivador en aquellos lugares donde las personas se encuentran casi unos sobre otros en una situación que produce carreras para apropiarse de una silla o un escritorio tan pronto como se vacía el lugar. Cuesta muy poco en la mayoría de los casos crear un ambiente de trabajo positivo.

2. El establecimiento de una misión

Todos los equipos deben estar conscientes del establecimiento de la misión de la empresa, y cada buen gerente se asegurará de que aquella declaración forme parte de la cultura corporativa.

Para la mayoría de las empresas la declaración de la misión es algo preparado por los directores, como debe ser. Sin embargo, el propósito de esta declaración no les sirve a éstos solamente; debe compartirse con los demás miembros del equipo profesional.

3. La cultura de las prioridades

Espero que no se te haya olvidado el principio de administración más importante del mundo: *Recibirás más de aquello que premias*.

Así, para un equipo motivado es fundamental que todos sus miembros sepan cuáles son sus prioridades individuales mientras trabajan hacia el objetivo del equipo.

¿Qué premia o qué reconoce el gerente? Vamos a ver algunos ejemplos:

- ¿Se premia a la gente que se ve ocupada y que trabaja muchas horas en lugar de la gente que obtiene resultados?
- ¿Se exige un trabajo de calidad, sin embargo, a la vez se imponen fechas límite que no son realistas?

- ¿Se exige y se habla acerca de la lealtad a la empresa, sin embargo, no se ofrece seguridad laboral?
- ¿Se insiste en la frugalidad, sin embargo, las personas reciben grandes aumentos de presupuesto en cuanto se acaban sus recursos?
- ¿A la gente no le gusta ser distinta por temor a ser castigada, sin embargo, las contribuciones creativas son lo que realmente se necesita?
- ¿Se exige el trabajo en equipo, sin embargo, cada miembro del equipo es manipulado contra otro?

La cultura de prioridades está muy ligada con el tipo de comportamiento que se espera. La gente siempre se comportará de la manera en que ha sido entrenada por el mecanismo de premiación.

4. Una meta en común

Debe haber una meta en común, un objetivo, o hasta una causa por la cual luchar. Es totalmente imposible motivar a un equipo de personas sin ninguno de estos tres elementos. Para crear lo que ahora llamaré "la meta común" déjame decir, a riesgo de parecer muy obvio, que dicha meta debe interesar al equipo de personas en cuestión.

No sirve para nada fijar una meta que estimule o interese al gerente o al líder de un equipo, a menos que ésta interese o estimule a los demás miembros del grupo. Eso nos lleva a la importancia de crear una meta mediante el proceso colectivo de la toma de decisiones. En realidad se trata solamente de aplicar un poco de sentido común, sin embargo, es asombroso cuántas compañías y empresas no son capaces, al parecer, de adherirse a este principio.

Es posible crear excelentes programas de incentivos y organizar y presentar estupendos seminarios de motivación. Por otro lado, se puede recurrir al otro extremo de la motivación, que consiste en amenazar a la gente señalando la puerta de salida. Sin embargo, eso nunca es tan exitoso como involucrar a la gente para atraer su participación genuina.

Cuando la gente tiene la responsabilidad de fijar algunas de las metas, es mucho más probable que éstas se alcancen que cuando son fijadas por otros. Estas metas sí pueden convertirse en motivadores efectivos. Cuando se crea una meta en común, el motivador también debe crear la estimulación de nuevas metas de vez en cuando. Debes proyectar tu mente al ejemplo que dimos antes en este mismo capítulo acerca del Club de Rugby en Cranbrook, donde por efecto de ciertas circunstancias perdimos de vista las causas originales de nuestra motivación.

5. Mantener una gran energía

Las personas se motivan naturalmente más cuando están ocupadas. Rara vez sufren de fatiga física, sin embargo, pueden sufrir de fatiga mental o de estrés, tal y como ya hemos mencionado. Trabajar duro sin estrés nunca ha sido identificado como la causa de una queja médica.

6. Recordar al individuo

El significado del individuo sigue siendo importante, aun cuando las personas formen parte de un equipo.

Un equipo consiste en cierto número de individuos interdependientes en términos de su desempeño general, pero que siguen siendo individuos por su lado. Deben sentir *individualmente* que han recibido un tratamiento justo. Deben sentir que son reconocidos *individualmente* por sus contribuciones. Deben sentir *individualmente* que el papel que juegan contribuye a la meta o al logro particular. Deben contar *individualmente* con el apoyo y respeto del gerente y de sus colegas.

Ahora que estamos tratando el tema de la lealtad y el respeto, seamos realistas: es algo que se gana en la vida y que nunca se debe exigir o esperar de forma gratuita.

7. La identidad del equipo

¿Alguna vez has notado con qué facilidad la gente se dispone a ponerse las sudaderas y las playeras que llevan el nombre de su equipo deportivo en colores brillantes? Uno de los principios de motivación que ya hemos mencionado nos dice que es motivador pertenecer a un equipo. Así que cada gerente debe analizar cada posibilidad de crear una identidad en equipo.

8. Compartir el éxito

Los miembros del equipo deben poder compartir los premios del éxito. Sin duda habrán notado que, al final del último juego de cada torneo de futbol, el capitán del equipo ganador recibe el trofeo, que es debidamente besado y levantado, y que a su vez se pasa a cada miembro del equipo. Todos reciben su propia medalla de ganadores, no solamente el capitán o el técnico.

Un gran ejemplo de este mensaje fue demostrado por Richard Branson de Virgin Airways, una compañía aérea. A principios de 1993, British Airways (otra compañía aérea) admitió haber incurrido en algunos procedimientos poco éticos y actos de competencia poco justos. Se acordó un arreglo fuera del tribunal de alrededor de 500 mil libras esterlinas, así como una suma que excedía los 2 millones para cubrir los costos de la acción legal que procedía.

Richard Branson compartió el dinero del acuerdo con todos los miembros de su equipo de personal porque, como yo lo entiendo, consideraba que ellos habían sufrido tanto como la compañía y sus ganancias. Debo agregar que tuve el gran honor de presentar a Richard Branson con el primer premio para el Motivador Nacional del Año en 1987, cuando mi compañía patrocinaba tal suceso. Fue un premio bien merecido por un gran motivador.

9. El equipo positivo

¿Cómo se comunican entre sí los miembros del equipo? ¿De manera positiva o negativa? Si la comunicación es negativa, es absolutamente seguro que el equipo nunca será productivo. Cuando la gente es frenada por la crítica, la condena y las quejas, y cuando el ambiente de traición, gruñidos y fastidio se transforma en el pan de cada día, la enfermedad autoinflingida más nefasta de la humanidad empieza a actuar. Es responsabilidad completa del gerente o del líder impedir que la comunicación negativa se transforme en un mal contagioso.

La mayoría de los gerentes efectivos enseñan y entrenan a su gente hoy en día acerca del tema relativo a lo positivo y a lo negativo. Todos conocemos la expresión: "Una manzana podrida pudre a las demás". Es igual con un equipo de personas. Sólo se necesita una persona verdaderamente negativa para que el resto del mismo equipo se torne gradualmente negativo. Un equipo negativo definitivamente no es un equipo motivado. Retomaremos este asunto en el capítulo 12.

10. El liderazgo motivador

Este apartado podría haber sido el primero de nuestra lista de diez elementos en lugar del último. El estilo de liderazgo del gerente debe ser un estilo motivador de liderazgo. Cubriremos este aspecto con detalle en el capítulo 9.

Las diez claves para crear un ambiente motivador, dentro del cual la gente pueda mezclarse y funcionar mejor, pueden, si son administradas efectivamente, eliminar todas las excusas por muy justificadas que sean sobre por qué la gente no está tan motivada como debería estarlo. Ahora bien, vamos a ver otras ideas más para ayudarnos a crear un equipo motivado.

TOMAR UN DESCANSO JUNTOS

Vale la pena que los empleados salgan como grupo. Sin duda has tenido esta experiencia durante algún momento mientras estudiabas un curso con otras personas. Por lo general, todos son unos desconocidos totales al principio del curso, y al cabo de tres días, una semana o el periodo que sea, ¡es fascinante cómo se van uniendo más y más! Así que, cuando llevas el equipo a un curso de entrenamiento, una discusión o incluso a un viaje de placer, lo podrás unir aún más. Estas ocasiones no tienen por qué ser costosas si cuentas con un presupuesto limitado. En su forma más sencilla, el viaje puede ser organizado como un juego de dominó por la noche después del trabajo, una visita a un restaurante o una obra de teatro.

Sin embargo, deben quedar bajo aviso todos los gerentes y líderes, porque desafortunadamente la expresión inglesa que nos dice: "La intimidad engendra el desprecio", es demasiado acertada. Por eso, como gerente debes estar preparado siempre para mantener una cierta distancia entre ti mismo y el equipo.

Cuando los empleados o miembros del equipo hayan visto o experimentado tus debilidades, es casi seguro que vas a perder cierto respeto. Todos tenemos nuestras debilidades. Por eso es fundamental que, aparte de la enorme responsabilidad usual, un gerente siempre esté en servicio activo –como dicen los militares– con su propio equipo.

Para concluir este capítulo, vamos a regresar al inicio y volver a mencionar aquel gran principio de la administración. "Recibirás más de aquello que has premiado".

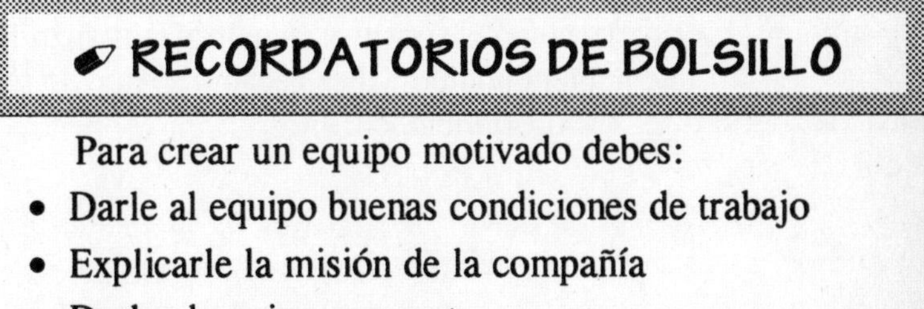

RECORDATORIOS DE BOLSILLO

Para crear un equipo motivado debes:

- Darle al equipo buenas condiciones de trabajo
- Explicarle la misión de la compañía
- Darle al equipo una meta
- Recordar a los individuos que integran al equipo

- Promover la identidad del equipo
- Compartir el éxito
- Asegurarte de que el equipo sea positivo
- Ser un líder motivador

"PALABRAS SABIAS"

EL TRABAJO EN EQUIPO

Había cuatro personas nombradas
LA GENTE, ALGUIEN, CUALQUIER PERSONA y NADIE.
Había un trabajo importante que cumplir y pidieron que LA GENTE lo hiciera.
LA GENTE estaba segura de que ALGUIEN lo haría.
CUALQUIER PERSONA podía haberlo hecho,
sin embargo, NADIE lo hizo.
ALGUIEN se enojó al respecto, porque
era responsabilidad de LA GENTE.
LA GENTE pensaba que CUALQUIER PERSONA podría
haberlo hecho, pero NADIE se dio cuenta de que
no lo haría LA GENTE.
Resultó que LA GENTE culpó a ALGUIEN cuando NADIE hizo lo que hubiera podido haber hecho
CUALQUIER PERSONA.

CAPÍTULO 9

El liderazgo motivador

Un gran general dijo, dirigiéndose a sus oficiales: "Asegúrense de que sus hombres tengan razones para respetarlos". Como ya hemos dicho, el respeto se gana y nunca puede ni debe ser exigido. Todos juzgamos a nuestros líderes más por lo hecho que por lo dicho. En el comercio, la industria y los negocios, los gerentes generales son, por supuesto, vendedores. Tienen que vender sus ideas y sus costumbres laborales. Los gerentes exitosos saben apreciar el poder de un buen ejemplo: notan que los están viendo mientras se ocupan de sus tareas diarias; saben que su propio ejemplo tendrá mucho más influencia y, por supuesto, producirá mejores resultados que los consejos verbales, los sermones o cualquier otro modo de comunicación.

Tristemente, algunos gerentes sienten que, después de haber llegado a cierto nivel, ya no están sujetos a los mismos estándares que esperan de sus subordinados. Casi creen que su trabajo es decirle a otras personas qué es lo que deben hacer sin tomar en cuenta si ellos mismos lo hacen. La gran tragedia aquí es que si demuestran no creer en lo que dicen, al no practicarlo ellos mismos, realmente no resultará muy productivo decirle a los demás que deberían hacerlo.

Todos sabemos que las fuerzas y debilidades de cualquier división u organización reflejan las cualidades de la persona o personas que mandan en ella. Si a ti como gerente se te hace difícil convencer a los que trabajan para ti de que deben estar a la altura de los estándares que apoyas, ¿por qué no reflexionar sobre ti mismo antes que nada? ¿Llegas a la altura de esos mismos estándares? ¿Estas poniendo en práctica tus palabras?

LOS DIEZ PRINCIPIOS DEL LIDERAZGO

Primero que nada haremos una lista de los diez principios del liderazgo motivador.

1. Fijar metas

Hay que fijar metas realistas e ir tras ellas. Nos inspiramos cuando trabajamos para un gerente que tiene ambiciones que cumplir. Estas ambiciones, por supuesto, deben ser alcanzables, tal y como mencionamos en el capítulo anterior respecto a "fijar metas". Sin embargo, puede ser muy motivador en términos de estilo de administración que los líderes impongan metas cada vez más altas. Siempre está el riesgo de no cumplir con ellas. No obstante, eso nunca importa realmente mientras el fracaso no sea continuo; tal situación, obviamente, resultará en una pérdida de credibilidad para aquellas metas que se fijen en el futuro.

2. Poner el ejemplo

Hay que reconocer que, después de un largo periodo, los subordinados suelen convertirse en copias fotostáticas de sus jefes. La gente suele dirigir la vista hacia sus superiores para guiarse. Esta imitación consciente o subconsciente es evidente en muchas organizaciones distintas porque los modos de actuar no solamente se filtran a las costumbres laborales, sino también al estilo de vestirse, de mantener la apariencia, de comunicarse con otras personas, de cuidar el tiempo, de expresar convicciones y hasta de leer el periódico. La lista, obviamente, es infinita.

Una vez más, debemos preguntarnos ¿qué tipo de personas quisiéramos que trabajaran por nosotros? Si tu liderazgo se ejerce fuera del mundo de los negocios, tal vez en el mundo deportivo o en el de la profesión académica, ¿qué tipo de resultados, en términos de comportamiento o de comunicación, estás esperando? Acuérdate, ¡todo empieza contigo mismo!

3. Mejorar constantemente

Hay que ser un pensador progresista. Hay que emplear el proceso de pensamiento que nos dice "cómo hacerlo mejor". Hay que eliminar la frase: "Hago lo mejor que puedo" de nuestro vocabulario hablado y pensado, y jamás hay que permitir que piense la gente que se está haciendo lo mejor posible. Como todos sabemos, si es que podemos enfrentarnos a la verdad, *todos podemos mejorar.*

Siendo un pensador progresista, uno naturalmente posee el proceso de pensamiento que ve siempre hacia el futuro en lugar de vivir en el pasado. Como parte de un autoanálisis personal, hay que preguntarse: ¿Valgo más hoy de lo que valía ayer, la semana pasada, el mes anterior o el año pasado? Como un pensador progresista practicante, hay que reconocer que todos los días tenemos la oportunidad de acumular nuevas experiencias y de obtener nuevos conocimientos, todo con el solo objetivo de ser *mejor persona* al final de cada día.

4. Darse tiempo para pensar

Hay que dedicar un rato al pensamiento sin interrupciones. Realmente es muy curioso y tal vez muy triste que muchos líderes nunca se den un tiempo para pensar. Aquellos que sí lo hacen, no se lo *dan*, sino que más bien se obligan a conseguir ratos extra para dedicarlos a la reflexión, por ejemplo durante sus viajes. Aun así, como todos sabemos, se nos ha concedido ese activo increíble que es el cerebro, con su capacidad inmensa, aunque a menudo nosotros mismos limitemos su poder.

Hay que reservar por lo menos media hora todos los días sólo para pensar. Los resultados serán abrumadores. En lo personal, me he dado cuenta de que algunos de mis días más productivos ocurren cuando he pasado un rato por mi cuenta en un hotel, lejos de la oficina, de otras personas y del teléfono. Otro punto interesante es el hecho de que te darás cuenta de cómo aumenta tu propia motivación durante el periodo que ocupes en pensar sin interrupciones.

Hay que darse tiempo para llevar a cabo una buena sesión de pensamiento para poner en perspectiva las preocupaciones, organizar las metas, hacer los planes y resolver los problemas. Hay que estar equipado siempre con un cuaderno y una pluma para anotar los pensamientos y decisiones mientras salen en cataratas.

5. Ser un líder sin presionar

El liderazgo más efectivo se da con ejemplos y no con órdenes. El líder motivado podrá abrir el camino sin tener que empujar necesariamente, y podrá demostrar sin tener que dictar necesariamente.

Hay una anécdota sobre el general Eisenhower, quien mientras explicaba el principio de presionar e impresionar a sus oficiales, solía colocar un pedazo de hilo estirado sobre el piso. Luego lo empujaba y demostraba que así no se llegaba a ningún lado; sin embargo mientras jalaba, el hilo le seguía por donde él quería.

En la mayoría de los deportes en equipo, el capitán suele ser uno de los mejores jugadores. Sin embargo, debemos aceptar el hecho de que eso no significa necesariamente que un individuo tenga los atributos del liderazgo, aunque sea la norma y un prerrequisito para ser un capitán. Hay muy pocas excepciones, como Mike Brearley, un antiguo capitán británico del criquet. Fue muy estimado y aún se le considera uno de los mejores capitanes de todos los tiempos. Por otro lado, él mismo aceptaba el hecho de que no era uno de los mejores jugadores de criquet, ni como bateador ni como pítcher de bolos.

Hay que preguntarse lo mismo continuamente: ¿SOY UN LÍDER QUE PONE UN BUEN EJEMPLO?

6. Juzgar los resultados

Siempre debemos esperar que nos juzguen por nuestros resultados, tanto como nosotros como gerentes y líderes juzgamos a los demás por sus resultados. Si impusieras tus propios estándares para un estilo de liderazgo motivador, ¿se orientaría a producir resultados, siguiendo los principios que ya hemos mencionado? ¿O has creado tu propia cultura que juzga según los resultados?

7. Aumentar la confianza

Hay que desarrollar una confianza suprema en ti mismo y en tus habilidades. Esta confianza suprema, obviamente, será una inspiración para los demás, un estilo de liderazgo motivador de lo más efectivo. La idea es aumentar el desempeño de otras personas hasta niveles para los que ellos mismos se sentían incapaces.

Dado que el aumento de la fe en nosotros mismos es un tema que ya hemos examinado, sabemos que a la hora de emprender un nuevo proyecto nuestra confianza puede encontrarse en un nivel bajo. Sin embargo, el puro hecho de comprender este fenómeno puede ayudarnos a aumentarla y retenerla, sin reducir para nada la habilidad del equipo.

La habilidad es algo que adquirimos como resultado de un anhelo fuerte.

8. Esperar la crítica

Es lamentable, y no por eso menos verídico, el hecho de que mientras más éxito tengamos más crítica recibiremos. Solemos buscar desesperadamente nuevos héroes, sea dentro del mundo de los deportes, de los negocios, o de la política. Tan pronto como colocamos al nuevo héroe en un pedestal, con su halo heroico sobre la cabeza, los medios encuentran la manera de volver a bajarlo por la fuerza.

Por eso, si vas a ser un buen líder, pondrás la cabeza por encima del barandal y te volverás vulnerable a la crítica, la cual es una característica que casi siempre emana de aquel sentimiento humano tan dañino y malévolo: ¡los celos!

9. Pensar en el futuro

Hay que planear algo nuevo para el porvenir. Si podemos hacer las cosas de una manera ligeramente distinta a como las hicimos ayer con la intención de mejorar un poco, esto dará, una vez más, el resultado de generar un estilo de liderazgo inspirado que termine por motivar a todo el mundo. *La persona que siempre está buscando algo nuevo que hacer todos los días debe poseer una mente maravillosamente progresista.*

10. Pensar como un ganador

Este es un proceso de pensamiento particularmente bueno. Cuando te enfrentas a una situación, sea ésta positiva o negativa, debes imaginarte cómo pensaría y actuaría la persona más exitosa que conoces ante esos mismos hechos. Si es una situación deportiva, debes pensar en quién es el jugador más exitoso en aquel deporte: ¿cómo pensaría?, ¿cómo actuaría? Si es una situación empresarial, y permíteme utilizar un ejemplo del mundo de ventas, ¿cómo pensaría y actuaría el vendedor más exitoso del mundo?

DIEZ DIFERENCIAS ENTRE UN GANADOR Y UN PERDEDOR

1. *Un ganador comete errores y dice: "Me equivoqué".* Un perdedor dice: "No fue mi culpa".
2. *Un ganador da crédito a la buena suerte por haber ganado, aun cuando su triunfo no tuvo nada que ver con la suerte.* Un perdedor culpa a su mala suerte

por haber perdido, aunque no tuvo nada que ver con la derrota.

3. *Un ganador trabaja más duro que un perdedor y tiene más tiempo disponible.* Un perdedor siempre está "demasiado ocupado", es decir, demasiado ocupado perdiendo el tiempo.
4. *Un ganador supera un problema.* Un perdedor le da la vuelta.
5. *Un ganador pide perdón haciendo las paces.* Un perdedor dice que lo siente mucho, sin embargo, vuelve a hacer lo mismo a la siguiente ocasión.
6. *Un ganador sabe cuándo pelear y cuando llegar a un acuerdo.* Un perdedor llega a un acuerdo cuando no debe y pelea por cosas que no valen la pena. Cada día es una batalla vital, y es muy importante que peleemos por cuestiones importantes, sin desperdiciar el tiempo con asuntos insignificantes.
7. *Un ganador dice: "Soy bueno, pero todavía puedo mejorar".* Un perdedor dice: "La verdad, soy mejor que la mayoría". Un ganador ve hacia arriba para encontrar su destino. Un perdedor ve hacia abajo a aquellos que no han alcanzado el puesto que tiene.
8. *Un ganador respeta a sus superiores e intenta aprender de ellos.* Un perdedor envidia a sus superiores e intenta descubrir sus fallas.
9. *La responsabilidad de un ganador va más allá de su trabajo.* Un perdedor dice: "No soy más que un empleado".
10. Un ganador dice: "Debe haber una mejor manera de hacerlo". Un perdedor dice: "¿Para qué cambiar las cosas? Así se han hecho siempre".

LAS PRINCIPALES DOCE CAUSAS PARA EL FRACASO DE UN LÍDER

Aunque es, por supuesto, extremadamente importante saber qué hacer cuando uno abre camino para otras personas, también es importante saber lo que *no* hay que hacer.

1. Incapacidad para organizar los detalles

Cuando un gerente admite en público o a sí mismo que está demasiado ocupado como para prestar atención a cualquier aspecto de su trabajo, está reconociendo su incapacidad de hacer su trabajo efectivamente.

2. Resistencia a hacer lo que se exige de otras personas

Cuando la situación lo exige, y quiero hacer notar que es solamente cuando la situación *lo exige*, un gerente efectivo siempre está dispuesto a realizar la tarea que hubiera asignado a otra persona.

No importa que no vayan a poder cumplir tan bien como la otra persona. Si el gerente se resistiera a intentarlo, sería una causa de fracaso.

3. Esperar que le paguen por lo que sabe en lugar de lo que hace

El mundo no paga a las personas por lo que saben, les paga por lo que hacen, o, quizá más aún, por la manera en que son capaces para motivar a otros. Está muy bien el haber recibido una educación brillante y haber aprobado todos los exámenes y títulos gracias a un cerebro repleto de sabiduría. Tristemente muchos de los jóvenes que se gradúan de la universidad hoy en día creen ser el regalo de Dios a la humanidad por todos los conocimientos que adquirieron. No son capaces de reconocer que a la gente se le paga por lo que *hace* en lugar de por lo que *sabe*.

4. Miedo a competir con otros

Lo que tememos nos sucede invariablemente. El gerente que teme que algún miembro de su equipo pueda arrebatarle su puesto seguramente vivirá ese miedo en carne propia tarde o temprano.

Hay muchos gerentes que, temiendo cualquier amenaza a su propio puesto y para protegerse mejor, intentan oprimir a su propia gente en lugar de estimularla. Existe una expresión inglesa que viene al caso: "No se puede sojuzgar a los que valen la pena".

5. Falta de pensamiento creativo

Sin el pensamiento creativo el gerente es incapaz de crear planes y fijar metas con las cuales poder guiar a su equipo profesional de manera efectiva. También se puede describir este fenómeno como *pensamiento lateral*.

El gerente que tiene lo que se puede describir como "la venda puesta sobre los ojos" perderá oportunidades y no podrá inspirar a su gente.

6. El síndrome del "yo"

El gerente que asume todos los honores para un logro de su equipo seguramente será premiado con el resentimiento de todos. El líder completamente efectivo no reclama ninguno de los honores, sin embargo, cuando éstos se presentan, se asegura de que sean repartidos entre el equipo.

7. Los excesos

Cualquier exceso puede acabar con el aguante y la vitalidad del gerente, tanto como con el respeto del equipo. Los excesos se presentan de formas muy variadas, ¡desde el abuso del alcohol hasta el ser mujeriego!

8. La deslealtad

El gerente que no es leal a sus colegas, tanto los de arriba como los de abajo, no podrá sostener su liderazgo durante mucho tiempo. La falta de lealtad es una de las mayores causas del fracaso y la pérdida del respeto en cualquier aspecto de la vida.

La lealtad es como el respeto: se gana y jamás debe ser exigida.

9. Hacer uso de la "autoridad del liderazgo"

He aquí un ejemplo de esta categoría: "¡Hazlo o serás despedido!" Los líderes exitosos abren el camino con los incentivos; no propagan el miedo a sus seguidores. Hacer hincapié en el miedo entra en la categoría del liderazgo por la fuerza. La historia, como ya sabemos, nos enseña que es una manera efectiva de liderazgo en el sentido de que sí funciona, sin embargo, ¡no es eterna!

Un gerente que usa el miedo como una herramienta de motivación le será efectivo la primera y hasta la segunda vez. Sin embargo, su poder empezará a desintegrarse poco después. Entonces, la destrucción de su autoridad es sólo cuestión de tiempo.

10. Hacer hincapié en el puesto

Algunos gerentes alardean con el puesto y lo exhiben en la puerta de su oficina. El gerente que exagera la importancia de su puesto por lo general no tiene nada más de qué alardear.

11. Falta de comprensión acerca de los efectos destructivos en un ambiente negativo

Es imposible ser un gran líder o un gerente capaz de motivar sin tener una comprensión profunda del daño extremo causado por un ambiente negativo. Cubriremos con más detalle la prevención y la cura de tal ambiente en el apartado de Comunicación Motivadora, en el capítulo 12.

12. Falta de sentido común

Tal vez la mejor manera de ejemplificar ésta última de las doce causas del fracaso del liderazgo es mencionando a aquel gerente que se torna tan sacrosanto y ultrapositivo que no sirve para nada en asuntos terrenales.

Existe la historia de un joven gerente que sentía que lo único que le faltaba en la vida era el pensamiento positivo. Por eso, como estaba determinado a rectificar el asunto, se inscribió en un curso de pensamiento positivo de los Estados Unidos que duraba tres semanas, y durante tres semanas completas le lavaron el cerebro con el poder del pensamiento positivo.

Después de regresar a su compañía, procedió a decirle a todo el mundo que lo que les faltaba en sus vidas era el poder del pensamiento positivo, y que una vez que lo tuvieran, absolutamente todo sería posible.

Conforme iban pasando los días, sus colegas se ponían cada vez más cínicos hasta que, en su ansia por comprobar ante sus colegas cínicos el poder del pensamiento positivo, les dijo: "Voy a subir hasta el techo de este edificio, voy a brincar y ¡nunca tocaré el suelo!"

Sus amigos y colegas pensaron: "¡Esto es estupendo, tenemos que verlo!" y todos se formaron para subir al techo y escuchar mientras el gerente que no servía para nada en la tierra les anunciaba otra vez: "Demostraré el poder del pensamiento positivo. ¡Brincaré del techo y no tocaré el suelo!" Entonces brincó. Mientras pasaba el quinto piso, alguien le escuchó decir: "Hasta el momento vamos muy bien..."

Por eso hay que recordar que, en todo lo humano: LOS EXTREMOS SON PELIGROSOS.

LOS DOCE PRINCIPALES ATRIBUTOS DEL LIDERAZGO

1. La voluntad de probar lo desconocido

Ningún empleado quiere seguir a un gerente a quien le falta bravura y confianza en sí mismo.

El estilo positivo de liderazgo es aquél que toma el desafío de nuevas tareas o que toma oportunidades que nadie ha probado antes.

Un gerente de ventas exitoso saldrá a vender cuando el mercado esté muy duro o cuando los vendedores se hallen con mucha presión. Aquel gerente sabe que se está arriesgando, y que sin embargo, como está siendo un líder que pone el ejemplo, sostendrá la motivación del equipo a pesar del fracaso.

2. La automotivación

El gerente que no es capaz de motivarse no tiene la menor posibilidad de motivar a otras personas.

3. Un agudo instinto de lo justo

Esta es una gran cualidad para cualquier líder efectivo. Para poder conservar el respeto de un equipo, un gerente debe tener cierta sensibilidad acerca de lo que es justo. El estilo de liderazgo según el cual todos son tratados justamente y con igualdad siempre crea un sentimiento de seguridad. He descubierto muchas veces que ésta cualidad rompe barreras y resulta ser extremadamente constructiva.

4. Planes definitivos

El líder motivado siempre tiene metas y ha planeado cómo alcanzarlas. Planea el trabajo y, entonces, trabaja con el plan.

5. Poder de decisión

El gerente que se tambalea durante el proceso de tomar decisiones demuestra una inseguridad propia, mientras el líder efectivo toma una decisión después de haber dedicado el tiempo necesario para pensar en el problema. Incluso considera la posibilidad de que la decisión que está tomando podría ser la equivocada.

La mayoría de la gente que toma decisiones se equivocará en algunas ocasiones. Sin embargo, eso no disminuye el respeto que reciben de sus seguidores. Seamos realistas: un gerente puede tomar más decisiones equivocadas de las que aciertan sus seguidores; sin embargo, un líder efectivo toma su decisión, y demuestra su convicción y su fe en esa decisión porque sigue firme.

Los seguidores encuentran así la fuerza para pelear por esa misma decisión.

6. El hábito de trabajar más por el mismo sueldo

Uno de los precios del liderazgo es la disposición de hacer más de lo que se les requiere a los que te siguen. El gerente que llega antes que sus empleados y que sale un poco después es un buen ejemplo de este atributo del liderazgo.

7. Una personalidad positiva

Los seguidores respetan esta cualidad. Inspira confianza y, a la vez, crea y sostiene a un equipo entusiasta.

8. La empatía

Un líder exitoso debe tener la habilidad de ponerse en la situación de sus seguidores, para ver el mundo desde su perspectiva. No tiene que estar de acuerdo con todos, sin embargo, debe poder ver cómo se sienten y comprender su punto de vista.

9. Dominar los detalles

El líder exitoso comprende y lleva a cabo cada detalle de su trabajo y, por supuesto, tiene el conocimiento y la habilidad necesarios para dominar las responsabilidades que implica su puesto.

Henry Ford demandó a un periodista por difamación cuando éste afirmó en un artículo que Ford no era solamente un poco torpe, sino realmente estúpido. El abogado defensor del caso por difamación subió a Henry Ford al estrado del juzgado y lo bombardeó con preguntas de conocimiento general y de historia. Le preguntaba cosas tan diversas como: "¿Puedes explicarnos la teoría de la relatividad de Einstein?", etcétera. A la mayoría de las preguntas Henry Ford contestaba: "Lo siento, no sé la respuesta".

El abogado miró al jurado después de terminar esta lista de preguntas para decir: "Creo que he logrado demostrar mi punto".

A eso respondió Henry Ford: "Espérese un momento. Me ha hecho todas esas preguntas durante las últimas dos horas, y ninguna de las respuestas me ayudarían a administrar mi negocio o a construir automóviles más efectivos. Sobre mi escritorio tengo una una máquina, y cuando necesito obtener la respuesta a una de esas preguntas mientras estoy en mi oficina, sé exactamente qué botón hay que oprimir:

podría tener la respuesta dentro de unos segundos."
Acabó ganando la demanda.

10. La voluntad de asumir toda la responsabilidad

Otro de los precios del liderazgo es la costumbre generalizada de tomar la responsabilidad por los errores de los seguidores. Si un seguidor comete un error, a lo mejor como resultado de su propia incompetencia, el líder debe considerar que él o ella ha fallado. Si el líder intenta desplazar esta responsabilidad, no será líder durante mucho tiempo.

El líder efectivo acepta el dicho:
"De aquí no sale nada".

11. Repercutir en otros

El líder exitoso siempre está buscando nuevas maneras de reproducir sus habilidades en otras personas. De esta manera, ayuda al desarrollo de los demás y puede ser representado en muchos lugares distintos a la vez. Aunque todos son necesarios, a lo mejor éste es el atributo más importante para los líderes. El poder para que otros líderes desarrollen habilidades es vital. Uno siempre puede identificar a un líder por el número de personas en quienes ha sembrado sus talentos, es decir, por aquellos en los que ha desarrollado y llevado al mundo como nuevos líderes importantes.

Andrew Carnegie, uno de los motivadores y líderes más grandes que haya conocido el mundo, creó a treinta y dos millonarios dentro de su organización.

12. Una creencia profunda en sus principios

En lo personal me encanta la expresión: "A menos que creamos en algo, evitaremos caer en elegir cualquier cosa."

Nada que valga la pena será fácil de alcanzar. El líder exitoso tiene la determinación de alcanzar sus metas a pesar de los obstáculos que puedan presentarse. Creer en lo que está haciendo y tener la intención de pelear por sus creencias.

"PALABRAS SABIAS"

No existe un método seguro para ser un buen líder. No se puede ganar siempre, y tenemos que aprender que el fracaso forma parte del juego del liderazgo, siempre y cuando no cometamos el mismo error dos veces.

SIR COLIN MARSHALL

CAPÍTULO 10

Motivación por incentivo

Es extraordinario el equilibrio que la mayoría de la gente encuentra en la relación empleador-empleado durante su vida profesional. Muchas personas trabajan sólo lo necesario para no perder el puesto y, en cambio, su empleador les paga justo lo suficiente para evitar que se vayan. La vida transcurre en estos términos felices o infelices, según sea el caso. A menudo me pregunto cuántas personas son realmente felices con su trabajo, y también me pregunto cuántos empleadores realmente disfrutan de la compañía de las personas que trabajan para ellos.

Sin embargo, como ya hemos mencionado, cuando hay felicidad y disfrute en ambas partes, el éxito es inevitable. Un programa exitoso de incentivos no solamente aumentará las ganancias, sino que también puede inspirar lealtad entre el equipo profesional y fomentar el ánimo del equipo. Al parecer, la mayoría de las personas va al trabajo para cumplir lo necesario, y no más. Sin embargo, estas mismas personas dedican muchas horas a pasatiempos u actos sociales y de caridad sin recibir alguna remuneración monetaria, y lo harán excepcionalmente bien. Lo que reciben al es, por otro lado, *reconocimiento*.

Todos tenemos amigos o colegas que dedican muchísima energía y tiempo a organizaciones tales como el Club de Rotarios o el Club de Leones. También tenemos amigos que se interesan más en las actividades que desarrollan en su tiempo libre que por su trabajo. Tengo un buen amigo con quien fui a la escuela. Nos volvimos a encontrar hace unos dos o tres años. Su gran interés y amor por la vida era la masonería, hasta el punto en que dedicaba casi todo su tiempo libre a esa asociación. En su caso, era precisamente por el *reconocimiento* que recibía de esa actividad, un reconocimiento que no le costaba trabajo obtener. (A lo mejor debo señalar que sus acciones estaban en contra de todas las enseñanzas masónicas.) Lo triste del asunto fue que, finalmente, la masonería acabó con su matrimonio. Como en cualquier otro caso, los excesos pueden ser destructivos. El *reconocimiento* se puede convertir en un especie de droga. Si estas personas aplicaran el mismo esfuerzo en su lugar de trabajo, podrían cosechar muchos premios.

Hace algunos años estaba escuchando el discurso de un gran motivador llamado Peter Riggs. Aclaró lo que él considera que son los tres premios más grandes del universo:

1. Hacer lo que disfrutas por el puro placer de hacerlo, o en otras palabras, ser verdaderamente feliz en el trabajo.
2. El reconocimiento en todas sus modalidades.
3. El dinero. Éste se convierte en un motivador principal solamente si uno no recibe lo suficiente como para satisfacer los requisitos inmediatos de todos los días, los cuales se pueden resumir en el pago de la renta o la hipoteca, el pago del super y saldar las cuentas esen-

ciales, tales como la electricidad, el gas, el teléfono, etcétera.

Muchos gerentes cometen un error al pensar que dinero es el motor principal de motivación. Sin embargo, puede ser que esos mismos gerentes hayan sido ascendidos y se encuentren ahora en la posición de recibir un paquete de premios monetarios, entre salario y beneficios, no tan generoso como el de algunos empleados suyos.

La mayoría de los gerentes capacitados habrán oído algo acerca de la jerarquía de necesidades de Maslow. No me propongo describirla con mucho detalle, sin embargo, lo que sí quisiera subrayar es el hecho de que nuestras aspiraciones, requisitos y exigencias obviamente cambian durante el curso de nuestras vidas.

En este capítulo veremos cómo podemos alcanzar un mejor desempeño. Esto debería de dar mejores resultados, sin embargo, si entendemos en primer término el poder que ejerce un programa de incentivos o de motivación, para después aprender cómo organizar y promover tales programas.

Ya hemos examinado la importancia vital de crear un ambiente positivo, feliz y motivador dentro del trabajo, y eso debería cubrir el primer gran premio del universo.

EL RECONOCIMIENTO

Ahora bien, vamos a centrar nuestro pensamiento en la importancia del reconocimiento y de lo que significa en realidad. Personalmente creo que este es el incentivo de motivación más poderoso que hay. En su modalidad más sencilla, puede consistir en un agradecimiento o en un elogio. Éstos, por supuesto, son mejores y más efectivos cuando se dan en público; así, otros compañeros de trabajo o colegas pueden escucharlos en el momento en que se expresan.

Todos conocemos lo que pueden hacer algunas personas para poder ganar un poco de reconocimiento. A la gente le encanta aparecer en la televisión, la radio o ver su fotografía en el periódico local. En el Reino Unido todavía se interesan mucho por el prestigio de figurar en la Lista de Honores. Casi cada profesión tiene un método particular de reconocer a sus miembros sobresalientes; quizás los métodos más contundentes son las nominaciones al Oscar o los premios musicales Emmy. Casi cada profesión y organización empresarial tiene un esquema de premios nacionales que van desde la publicidad hasta la industria automovilística; desde la fabricación de lencería hasta la preparación de *brownies*.

Durante algunos años, Jack Thornley del restaurante Thornley's of Chorley, ubicado en Lancashire, fue el campeón europeo en preparación de *brownie*. ¡Ganó un prestigio enorme gracias al reconocimiento de ese premio! En el ejército, se dan medallas. En el mundo deportivo, el ganador se sube al escalón más alto de la plataforma.

Ahora que sí puedes aceptar el poder del reconocimiento, daremos algunos ejemplos útiles en el mundo de los negocios. A los lectores que tienen una perspectiva comercial les dará gusto saber que este es el incentivo más barato y rentable.

1. Incentivos rentables

Los gerentes de ventas deberían repartir listas con los resultados de ventas de cada individuo de su equipo. En organizaciones de ventas muy grandes es posible dividir los resultados en tablas, según la liga. Cuando éstas se publican, cada individuo busca antes que nada su propio nombre. Inevitablemente, los únicos que opondrán resistencia a esta idea serán aquellos que se encuentren al final de la lista.

Los certificados de desempeño pueden ser otorgados y son mejores cuando se presentan enmarcados. La gente los cuelga en la oficina. También sirven como un recuerdo permanente de su desempeño. Actúan como una espuela cuando los demás los ven en la pared, porque crean el sentimiento de "yo quiero uno de esos". Vale la pena asegurarse de que los certificados estén impresos en un papel tipo pergamino de buena calidad, que tengan buen diseño y una tipografía profesional.

Siempre debes preguntarte lo siguiente: ¿Me daría orgullo recibir y colgar uno de estos certificados? En todas las operaciones empresariales y comerciales, se puede motivar a la gente con un cambio de puesto. A veces es la única manera de impedir la pérdida de un individuo con un alto desempeño: crear un puesto nuevo o más prestigiado.

Los siguientes ejemplos son algunos de los puestos que la gente ha cambiado por su propia cuenta:

- De mozo de cuadra a "técnico ecuestre"
- De fumigador a "oficial para el control de pestes"
- De agente viajero a "ejecutivo de ventas"
- De ama de casa a "ejecutiva doméstica"

Si no se te ocurre un nuevo puesto para alguien, y realmente no sabes qué es lo que hace, ¿por qué no concederle el título de vicepresidente?

Las placas de pared son tan útiles como las copas y trofeos tradicionales. Sin duda habrás visto que la gente recibe reconocimiento en algunas organizaciones por la corbata que lleva puesta; en otros casos, es por el coche que manejan. En otros lugares, se aplica la peligrosa costumbre de otorgar a algunas personas sus propios lugares para estacionar sus vehículos. Digo que es peligroso porque el asunto del estacionamiento puede causar divisiones muy serias. He visto compañías en las cuales miembros del equipo profesional, conforme van avanzando en jerarquía, son asignados a un lugar distinto para comer en la cafetería o en la mesa de juntas. En otras empresas algunas personas entran y salen por una puerta distinta. Por otro lado, algunas compañías juzgan el estatus de cada quien según el tamaño del presupuesto bajo su responsabilidad.

Todos los ejemplos anteriores muestran una falta de comprensión de los principios del reconocimiento, en primer lugar porque dividen a la gente, y en segundo lugar porque *recibes más de lo que premias*. En los negocios, si lo piensas bien, el éxito no procede de cuánto gastas sino de cuánto ganas.

El reconocimiento también puede otorgarse si uno tiene una revista interna, un boletín o alguna otra publicación en la cual, cada vez que se pueda, se incluya la fotografía de un individuo de alto rendimiento. Obviamente, la fotografía atraerá los ojos de todos.

Los gerentes y líderes más efectivos siempre otorgarán los reconocimientos en público, sin embargo, deben dar seguimiento a estos actos con una carta de felicitación escrita. Como todos sabemos, esas cartas nunca acaban en la basura.

En 1972, aunque trabajaba por mi cuenta, fui administrado por un gerente de ventas muy efectivo llamado Barry Wells. En aquel entonces trabajaba en una organización de mercadotecnia de múltiples niveles vendiendo productos caseros. Uno de los esquemas de reconocimiento que se aplicaban allí se conocía como el Premio del Broche de Diamante. Básicamente, se reducía al hecho de que mientras más vendía la gente, más diamantes recibían en un broche de solapa. Puedo agregar que estos broches de diamante eran muy atractivos y con ellos se premiaba al esposo y a la esposa o sólo a la pareja de éste, aun cuando sólo uno de ellos trabajaba de manera activa en el programa. Después de unos tres meses muy ocupados, durante los cuales pasaba largo tiempo fuera de casa, había alcanzado un volumen lo suficientemente grande como para ganar el más lujoso de estos premios.

Me encontraba a unos 320 kilómetros del hogar, en un hotel de Plymouth. Cuando hablé por teléfono a mi esposa me informó que había recibido el ramo de flores más grande que hubiera visto en su vida. Llegó con una nota que decía: "Gracias por todo tu apoyo", firmada por Barry Wells. Como puedes imaginar, el pequeño costo de ese gesto produjo premios infinitos conforme iban pasando los meses siguientes.

El siguiente punto que quiero aclarar en relación con esta historia personal es que, siempre que sea posible, se reconozca a ambos miembros de la pareja, aunque sólo uno de ellos sea el que se desempeña en realidad.

2. Intentar recordar los nombres

Ahora bien, vamos a cambiar de enfoque durante un par de minutos para concentrarnos en algunos otros rumbos que puede tomar el reconocimiento. El sonido más dulce de la lengua inglesa es el sonido del nombre de alguien. El ejecutivo más alto que, mientras hace un recorrido por el taller, conoce todos los nombres de sus empleados y quizás algunos de los nombres de sus parejas u otros detalles personales será reverenciado por la fuerza laboral.

No todos nosotros estamos dotados de una memoria genial, sin embargo, con un poco de planeación y unos cuantos preparativos, podemos superar las lagunas de nuestra memoria; tal vez sea útil la ayuda de informes de parte de los gerentes que nos apoyan. Recordar los cumpleaños y aniversarios de la gente es otra gran manera de reconocimiento.

Finalmente, antes de dejar esta sección, no sería mala idea pegar mensualmente la fotografía y el nombre del mejor empleado de cada categoría en las paredes de la zona de recepción.

EL DINERO

Ahora bien, sigamos con el tercer gran premio del universo: el dinero. El dinero, como ya hemos señalado, no cuenta como incentivo a menos que el recipiente en cuestión no tenga los ingresos suficientes para satisfacer sus requisitos inmediatos. Por eso, si vamos a utilizar el dinero como incentivo tiene que ser en cantidades considerables. Puedes dar como premio una placa o una copa que cueste solamente unos cincuenta pesos, o un pedazo de cristal cortado con un grabado encima. Sin embargo, ¡sería imposible motivar a un individuo con un sueldo por arriba de los 10 mil con un premio en efectivo de 50 pesos!

El otro problema con el dinero como incentivo es que se puede gastar en cuentas del hogar sin dejarle al individuo algo duradero. El dinero tiene que ser otorgado en cantidades considerables para convertirse en un incentivo y motivador efectivo. La suma específica que se ofrece debe, obviamente, tener alguna relación con el paquete salarial del individuo. Alguien con un sueldo de 120 mil pesos anuales sin duda se motivaría por un incentivo de 10 mil pesos.

Ahora bien, vamos a poner todo esto en perspectiva. No quiero decir que el dinero no sirva. Si forma parte de una estructura de sueldo por comisiones, un abono o aguinaldo, o ganancias por activos de desempeño empresarial, por supuesto que sí puede ser exitoso. Cada vez más compañías están demostrando que involucrar a sus empleados con los activos empresariales y generar un interés en la rentabilidad total de la empresa, puede producir grandes éxitos.

Lo interesante es que la mayoría de las personas cree que el dinero es el incentivo más grande, lo cual no es cierto. Sin embargo, ¿no es interesante que tantas personas gasten dinero para ser reconocidas? Las contribuciones caritativas son una buena muestra para ejemplificar este punto. Como todos saben, en las colectas de caridad es extremadamente importante que se dé el reconocimiento máximo y agradecimientos por escrito a las personas que contribuyen a la labor. Muy pocos donativos grandes son anónimos. La gente gasta una enorme cantidad en comprar boletos para poder entrar a la Sala Real en Ascot, Inglaterra. Por cierto que no están comprando las instalaciones de la Sala Real, sino el supuesto privilegio de ser visto allí.

Hacia el final de los años ochenta, las grandes compañías de crédito ofrecieron lo que ahora se conoce como "tarjetas doradas". Estas cuestan una suma considerable de dinero y sólo están disponibles para las personas con un nivel salarial determinado. Ahora se han convertido en un enorme símbolo de estatus, además de acumular el mayor número de tarjetas de crédito posibles. Las ventajas de tener una tarjeta dorada son mínimas comparadas con los costos que implican. Sin embargo, es el reconocimiento que se da cuando uno presenta una tarjeta dorada en lugar de cualquier otra tarjeta, lo que resulta atractivo para el público.

RECORDATORIOS DE BOLSILLO

Los tres incentivos más grandes son:

- La felicidad
- El reconocimiento
- El dinero

¡Siempre debemos recordarlos!

"PALABRAS SABIAS"

El sentido común en su nivel más alto vale mucho más que el intelecto. Los gerentes efectivos poseen un importante sentido común, sumado a un gran impulso.

SIR MICHAEL EDWARDS

CAPÍTULO 11

Concursos como incentivo

Ahora bien, vamos a ver las reglas y los principios involucrados en establecer un programa de incentivos dentro de una organización. Para seguir utilizando términos sencillos, lo llamaré un concurso. Antes que nada déjame definir un concepto elemental: todos aquellos concursos que se organizan y se llevan a cabo exitosamente deberán ser autofinanciados para que no se conviertan en un costo extra. Los concursos son pagados no por aquellos que ganan, sino por aquellos que han aumentado su desempeño en un esfuerzo por ganar. También los concursos animarán a los demás a alcanzar niveles más altos de ejecución.

LAS CINCO REGLAS DORADAS

Si se rompen las cinco reglas básicas descritas más abajo, el concurso tendrá muy pocas probabilidades de ser exitoso. Muchos de los que están leyendo esta sección del libro verán los concursos o programas de incentivos con cierto escepticismo porque han participado en alguno que fue desmotivador o porque han intentado implantar alguno que fue un fracaso total. Tristemente, muchos concursos fallan porque rompen las siguientes reglas (si has tenido una mala experiencia, reconsiderala, antes de volverlo a intentar, con la ayuda de la información proporcionada en este capítulo).

1. Los concursos que funcionan son aquellos en los cuales todos tienen posibilidades de ganar. Si no existe esa posibilidad, los que compiten ni siquiera harán el intento. Esta es la principal razón por la cual algunos concursos no funcionan. La siguiente razón es aún más peligrosa, porque el concurso puede funcionar al convencer a la gente de que se esfuerce por alcanzar una meta, pero después de su terminación, acaba con la voluntad para participar en concursos a futuro. Un ejemplo sería un concurso tipo rifa, mejor ejemplificado para el mundo de ventas si imaginamos que, por cada venta realizada, los agentes reciben un boleto de la rifa. La teoría aquí es que mientras más ventas se logren, más oportunidades tiene uno de ganarse un premio. Al final del periodo de calificación, se lleva a cabo la rifa y *es posible*, según yo mismo lo he visto, que uno de los vendedores con desempeño más bajo gane el premio mayor porque, como todos sabemos, una rifa se basa en el azar, no en la suerte. Eso puede resultar en una desmotivación masiva para aquellos que realmente han luchado para sobresalir.
2. Los concursos a largo plazo son de poco valor si uno intenta aumentar el nivel de negocios de manera inmediata. Eso no significa que los concursos a largo plazo no tengan valor, porque por supuesto que sí lo tienen. Muchas organizaciones dan premios anuales: al vendedor del año, al gerente del año, etcétera. Éstos son de muchísima importancia y deben seguir funcionando.

Sin embargo, si uno quiere un mejoramiento inmediato o un aumento súbito de resultados, el tiempo máximo para un concurso debe de ser de tres meses. Aquellos que han llevado a cabo concursos con un plazo más largo sin duda se habrán dado cuenta de que se registró un aumento del desempeño durante el mes anterior al cierre del plazo. Por eso es aconsejable, cuando se da un concurso a largo plazo, implantar a la vez un concurso secundario con un plazo más corto. A pesar de esta aclaración, hay que aceptar el principio básico según el cual sólo se debe implantar un concurso a la vez. Los concursos a largo plazo o secundarios no atraen la misma atención continua o publicidad que el concurso a corto plazo. Aun así, jamás hay que implantar dos concursos simultáneos a corto plazo. Se trata de un viejo principio de ventas: sólo se puede vender un producto a la vez.

3. A la hora de planear un concurso, debes preguntarte: "¿Qué es lo que queremos lograr con esto?" Puede parecer obvio, sin embargo es curioso que tan poca gente se pregunte precisamente eso. Permítaseme recordar otra vez el principio de administración más importante del mundo: *recibirás más de lo que premias*.
4. Los premios, como ya hemos dicho, no deben ser en efectivo sino deben tratarse de algo tangible. Los premios que uno puede obsequiar pueden variar desde figuras de cristal grabadas hasta una despensa de Navidad; desde botellas de vino hasta una selección tomada de un catálogo de regalos escogido de antemano. Hay muchas compañías excelentes que pueden juntar

un catálogo sublime de premios o regalos. Algunos de éstos pueden, por supuesto, relacionarse con una estructura de puntos muy similar a la que todos hemos experimentado, desde el advenimiento de estampas de colección para niños hasta vales que sirven para comprar gasolina. El premio más fino y efectivo es, comprensiblemente, un viaje; desde un fin de semana fuera de la ciudad hasta vuelos a lugares exóticos por todo el mundo. Sin embargo, si vas a utilizar un viaje o unas vacaciones como incentivo, siempre debes ofrecer dos boletos. Eso maximizará los efectos, atraerá más apoyo de los concursantes e implicará un esfuerzo mayor aplicado a un mejor rendimiento.

Podemos imaginarnos la desmotivación que habría en el hogar si, por ejemplo, un fin de semana en Amsterdam o unas vacaciones de dos semanas en los Alpes se regalaran ¡sólo a una persona! El incentivo de dos boletos, sin embargo, uniría a esa familia o pareja, porque uno alentaría al otro para compartir el premio.

5. Los concursos deben enfocarse en las siguientes tres preguntas y a menos que éstas sean contestadas rápidamente y con facilidad, el concurso no será funcional:
   - ¿Qué es exactamente lo que tengo que hacer?
   - ¿Qué es exactamente lo que me dan?
   - ¿Para cuándo?

ADMINISTRANDO EL ESQUEMA DE INCENTIVOS

Después de haber construido tu programa de incentivos o de concurso, basándote sólidamente en las reglas arriba mencionadas, las etapas siguientes deben seguirse para maximizar su éxito final. Quiero mencionar aquí otra vez algo que tratamos antes: todos los concursos deben ser rentables y pagados por las ganancias acrecentadas que resulten de un aumento en rendimiento. Sin embargo, los concursos deben ser vendidos a sus participantes, y por eso el gerente motivado tendrá que seguir la estructura que se encuentra abajo para comunicar o anunciar el programa.

Etapa 1. Informar a los empleados cuáles son los premios. Hay que tener disponibles fotografías o muestras y darles seguimiento, entregando a cada participante un folleto o una foto de los premios.

Etapa 2. Ahora bien, hay que decirles qué tienen que hacer para conseguir esos premios, asegurándose otra vez que las reglas sean justas, que todo el mundo tenga posibilidades de participar y que se ofrezcan detalles claros y precisos también.

Etapa 3. Hay que informar a los participantes cuándo empieza y cuándo termina el concurso. Otra vez, debemos ser realistas en este aspecto. Jamás hay que anunciar el concurso con mucha antelación, porque quienes tienen un gran desempeño o los que son más ambiciosos retardarán los negocios hasta que empiecen el programa para calificar dentro del concurso.

Etapa 4. Finalmente, hay que vender el concurso y revenderlo. Aquí encontramos otro error que ocurre a menudo cuando la gente se encarga de programas de incentivos. Hacen muchos esfuerzos juntando todo, a lo mejor organizando una gran conferencia para lanzar el concurso, para finalmente no volver a mencionarlo o promoverlo hasta que éste concluya y se anuncien los resultados. Debemos darle publicidad continua y mencionarlo en cada oportunidad.

Los incentivos sí funcionan, sin embargo, debemos darle al programa de incentivos la máxima oportunidad de ser exitoso mediante la promoción continua, para que los participantes sepan siempre qué tan cerca están de los premios. Si eres el gerente encargado del concurso debes hablar continuamente con tu gente al respecto. Cada vez que hablas con la gente involucrada en el concurso, hay que mencionarlo, venderlo, y decirles cómo les va. Esto se puede lograr con juntas cara a cara, o por teléfono. Regularmente, hay que hacer circular información por escrito para que los participantes puedan ver qué tan cerca están de ganar.

ENTRE MÁS PUBLICIDAD HAYA, MÁS ÉXITO HABRÁ

EL ÉXITO O EL FRACASO

Ahora permíteme darte un ejemplo de un concurso gracias al cual la gente puede competir exitosamente, aunque esté trabajando en una típica "cancha de juego desnivelada". Otra vez, este ejemplo se basa en resultados de ventas; sin embargo, sus principios pueden ser aplicados, por supuesto, a otras tareas y actividades. En este sencillo ejemplo tomemos a seis personas: Roberto, María, Tomás, Juana, Enrique y Guillermo. Trabajan en distintas regiones del país, algunos en zonas bien establecidas, con un volumen fijo de negocios, otros apenas van empezando o se encuentran en zonas en vías de desarrollo. El gerente de ventas se reune en privado con cada uno de ellos para fijar un límite durante un periodo de tres meses. Véase el cuadro siguiente:

	Límite fijado
Roberto	60
María	70
Tomás	30
Juana	40
Enrique	60
Guillermo	80

Los premios deben ser otorgados de la siguiente manera:

- Primer lugar a la persona que registre el número más alto de ventas en general.
- Un premio para cada persona que alcance el nivel exacto acordado previamente.
- Un premio igual al de primer lugar para aquella persona que registre el mayor porcentaje arriba de su meta inicial.

Ahora bien, vamos a ver cómo se desempeñaron estas mismas personas hasta la terminación del concurso.

	Meta acordada	*Resultados de venta*
Roberto	60	58
María	70	70
Tomás	30	30
Juana	40	38
Enrique	60	68
Guillermo	80	69

Si escogemos a nuestros ganadores, veremos que María recibe el premio mayor por haber vendido más que nadie, y que Enrique recibe el otro premio mayor por haber alcanzado el mayor aumento de porcentaje. Vemos que Tomás, quien tal vez de otra manera no podría haber ganado un premio, recibió uno porque hizo exactamente lo que prometió hacer.

Eso ha sido un ejemplo, explicado de manera muy sencilla, de un concurso en el cual todo el mundo tiene posibilidades de ganar. Quiero terminar este capítulo con un anécdota acerca de los incentivos que demuestra por qué debemos ser cuidadosos cuando reconocemos algo, porque recibiremos más de lo mismo. ¡Ojo!

Una de las empresas de mensajería más importantes del Reino Unido había recibido muchas quejas y tenía enormes problemas con su imagen pública porque sus paquetes no llegaban ni a tiempo ni al lugar adecuado. Muchos de estos paquetes habían regresado al almacén con la etiqueta de "no entregado" porque los choferes afirmaban que las personas indicadas no se encontraban o porque no podían encontrar la dirección correcta. Así que la compañía lanzó un programa de incentivos para los choferes, el cual se basaba en darles más premios a aquellos que regresaban menos paquetes al almacén. Ahora bien, podemos imaginarnos cuáles fueron los resultados. Las devoluciones bajaron drásticamente, sin embargo, el índice de entregas no aumentó porque ¡los paquetes desaparecían bajo los arbustos o frente a las puertas de otras personas!

✐ RECORDATORIOS DE BOLSILLO

Las cinco Reglas Doradas para llevar a cabo un concurso como incentivos exitoso son:

- Todos deben tener posibilidades de ganar
- El sistema de incentivos debe ser cuidadosamente regulado
- Hay que precisar qué es lo que debe lograr el esquema
- Hay que otorgar premios tangibles
- Hay que asegurarse de que se entienda plenamente el esquema.

"PALABRAS SABIAS"

Es más importante hacer lo adecuado que hacer las cosas adecuadamente.

PETER DRUCKER

CAPÍTULO 12

La comunicación motivadora

Los líderes son juzgados por la gente más por lo que hacen que por lo que dicen. Sin embargo, es lo que dicen por medio de la comunicación verbal o escrita que determinará el cómo son juzgados. Puede ser que la mayor causa de conflictos y problemas entre la población mundial se deba a comunicaciones interrumpidas. A menudo la causa parece tan sencilla como lo es un malentendido.

La Asociación Estadunidense de Administración se ha identificado con la siguiente afirmación: "El mayor desafío para un supervisor hoy en día se puede resumir en una sola palabra: COMUNICACIÓN". Desafortunadamente muchos supervisores y gerentes no creen que sea necesario tener informada a la gente de manera constante. Operan con la actitud de que la gente tiene su trabajo y que debe dedicarse a hacerlo, sin desperdiciar el tiempo en palabras. Es, como todos sabemos, un punto de vista miope. Ninguna actividad administrativa en cualquier organización puede darse sin comunicación plena y abierta en ambos, lo cual significa tanto escuchar como hablar.

Eso puede ir muy lejos, ya que hay personas que pasan *demasiado tiempo* hablando entre sí, con el resultado de que su tiempo en la oficina es menos productivo.

Una de las empresas para las que trabajo como consejero —una compañía muy importante en la industria de bienes de venta rápida para consumidores (BVRC)— fue, según descubrí, tan golpeada por la grilla interna de la oficina, que todos los ejecutivos dirigían su desempeño a dañar a los demás en lugar de atender a los clientes. Si el mismo rendimiento que utilizaban los ejecutivos para mermar el prestigio de otros se hubiera canalizado hacia los clientes, seguramente habrían tenido todavía más éxito como empresa. La primera regla para la comunicación, y posiblemente la más importante, es clarificar cuál es el mensaje que se está comunicando. Jamás se obtendrán los efectos deseados si la otra persona no comprende el significado. Ningún gerente puede obtener los resultados deseados con un mensaje incompleto o un malentendido.

En este capítulo, veremos la comunicación escrita, por teléfono, y por supuesto, de cara a cara. Una de las mayores ventajas de la comunicación cara a cara es que uno se encuentra en la mejor posición para ver si la persona con quien se está entablando el diálogo ha captado el mensaje. Esto se determina por sus respuestas o por la información que nos comunica su lenguaje corporal.

Un gerente motivado y exitoso lee y comprende el lenguaje corporal de las personas. Según entiendo, menos de 10 % de todas las habilidades comunicativas son verbales. Por tanto, el verdadero arte de la comunicación es la habilidad de trasmitir información o el mensaje de una persona a otra con una claridad absoluta.

El Honorable David Blunkett, quien previamente había sido el líder del Consejo Metropolitano de Sheffield, fue entrevistado por radio. El locutor le preguntó si él creía que su aparente ceguera fuera una desventaja considerable, no solamente en la Cámara de los Comunes, sino también en las juntas a las que debía asistir. David Blunkett respondió con una negativa, y dijo no sólo no era una desventaja sino todo lo contrario porque como no podía hacer más que escuchar lo que decía la gente, tenía que escuchar de verdad. Se sentía más analítico, menos emotivo y menos distraído por el lenguaje corporal de las personas porque se centraba tanto en la voz como en sus inflexiones.

La comunicación es un proceso de doble vía, porque le da al comunicador la oportunidad de responder a los mensajes tanto como difundirlos. Cualquier gerente que no puede o que no quiere comunicarse debidamente, jamás podrá cumplir con su trabajo u obtener buenos resultados.

Este libro aborda la *motivación*, así que no es mi intención entrar en detalles respecto a cómo dar instrucciones claras. Sin embargo, expondré mis ideas acerca de los principios y de la filosofía de un estilo de comunicación motivador.

EL TELÉFONO

Empezaremos con el que es quizás el instrumento de comunicación más ampliamente utilizado: el teléfono. ¿Cómo hablamos con nuestros amigos, nuestros colegas y nuestros empleados por teléfono? Antes que nada, tomaremos el ejemplo de que entra una llamada telefónica. Cuando contestamos el teléfono, debemos emplear una voz positiva y entusiasta. Cuando el que habla anuncia su nombre, debemos sonar aún más contentos de que nos haya llamado. Para decirlo de otra manera, debemos hacerlo sentir bien y hacerlo sentir importante.

—"Qué gusto me da que hayas llamado".
—"Me da tanto gusto recibir tu llamada".
—"Qué bueno que llamaste".

Siempre hay que decirlo con una sonrisa. ¡Es impresionante cómo estas palabras suenan más genuinas y parecen resultar más efectivas cuando se pronuncian con labios que asumen la forma de una sonrisa!

Ahora bien, considera las llamadas telefónicas que debes hacer. Hay que planear y decidir exactamente qué es lo que quieres decir. Otra vez, debes sonar positivo y entusiasta. Si eres un gerente que se comunica con su gente, tus palabras son extremadamente importantes. Después de haber comenzado diciendo una frase de cortesía o una frase amena tal como "¿Cómo estás?", puedes entrar directamente al tema de tu llamada.

Un gerente de ventas exitoso, después de haber hecho alguna pregunta educada, preguntará entonces por el desempeño y los resultados de su vendedor o vendedora. Sin embargo, no hay que caer en la misma trampa de algunos gerentes, quienes hablan de lo que sea antes de llegar al punto central de la llamada. Pueden preguntar antes por temas tan mundanos como las noticias del día. *Hay que ir al grano*. Lo que es importante para ti también se torna importante para tu gente.

Muchos supervisores y gerentes utilizan el teléfono como un medio importante de comunicación, y a lo mejor sólo tienen encuentros cara a cara durante la junta semanal o mensual. En este caso, la comunicación por teléfono es aún más importante. Se convierte en una oportunidad para remotivar y rentusiasmar. En estas circunstancias, el gerente debe tener siempre a la mano alguna buena noticia para poder remitirla por la línea.

Debe asegurarse de que su equipo profesional esté informado adecuadamente de cualquier noticia, acontecimiento, cambio u oportunidad. Debemos recordar la expresión inglesa: "Que lo oigan de la fuente original". También, si recordamos el capítulo anterior, hay que acordarse de mencionar cualquier promoción o concurso que esté vigente.

Ahora que estamos entrando al tema del teléfono, siempre debes hacer un esfuerzo por tomar todas tus llamadas; jamás debes estar demasiado ocupado. Debes evitar estar perpetuamente paralizado en juntas. También debes asegurarte de que, cuando estés fuera de la oficina, no se esté impartiendo información inútil acerca de tu ausencia.

Me acuerdo de telefonear a un gerente al cuarto para la una. Me dijeron que se había ido a comer. Entonces pregunté: "¿Cuándo lo podré localizar?" Me respondieron: "alrededor de las tres y cuarto". Lo único que necesitaba yo saber para estar informado era que mi contacto estaba fuera de la oficina y que iba a regresar alrededor de las tres y cuarto.

Al terminar cada llamada telefónica, debes intentar dejar a la otra persona con el siguiente pensamiento: "Me da gusto haber hablado contigo el día de hoy". El teléfono es una oportunidad para motivar e inspirar, así que ¡hay que saber utilizarlo bien!

JUNTAS CARA A CARA

¿Cómo llega la gente a la oficina cada mañana? ¿Cómo saludan los gerentes y los supervisores a sus empleados? Ahora que estoy haciendo estas preguntas, también quisiera preguntarte: ¿Con qué tipo de gente quisieras trabajar? ¿Gente positiva, entusiasta, dedicada y "lista para trabajar"? Por supuesto que sí. Por eso debes empezar contigo mismo.

Los primeros saludos de la mañana son muy importantes. Igual de importantes son nuestra apariencia y nuestro lenguaje corporal. El entusiasmo es contagioso, así que siempre debemos trasmitir un mensaje positivo. Siempre hay que ser un mensajero con buenas noticias. Hay que ser congruente en lugar de caprichoso. Las personas se sienten mucho más seguras con un estilo de administración congruente. Más que nada, hay que alejarlos de aquellos problemas que no les afectan. Ahora bien, no quiero decir que no debes informar a tu gente; por supuesto que no. Los gerentes y líderes, aparte del reconocimiento que obtienen, normalmente ganan más dinero, y por eso tienen una responsabilidad mayor. Dentro de esa responsabilidad mayor, tienen problemas que resolver; es decir, soluciones que deben encontrar. Un gerente débil es aquél que transfiere sus preocupaciones y problemas a su equipo. Tu gente no debe preocuparse por tus problemas. Lo más probable es que no te puedan ayudar; además, no debes pedir de ninguna manera que resuelvan tus conflictos.

EL CHISME PROMUEVE LOS CONFLICTOS

En la mayoría de las organizaciones, a menudo los rumores se convierten en conflictos. Permíteme preguntarte, ¿cuál fue el último rumor que circuló dentro de tu organización? ¿Qué tan verídico o distorsionado fue? Permíteme preguntarte, ¿qué tan destructivo resultó?

La mayoría de los rumores parecen ser muy inocuos; sin embargo, pueden acabar con la moral y dañar la productividad. Ahora bien, no podemos alterar la naturaleza humana, y no podemos impedir que la gente invente rumores, los escuche, los exagere o los trasmita. Lo que sí podemos hacer es acabar con las condiciones que los fomentan.

Ciertamente la condición que fomenta los rumores más que ninguna otra es el secreto, porque nos obliga a preguntar, utilizar la imaginación y chismear. El solo hecho de que alguien está intentando mantener cualquier secreto lo convierte en algo más interesante. Por eso, entre más noticias reciba tu gente de tu parte, menos tenderán a inventarlas por su cuenta.

Todos debemos saber qué es lo que está pasando dentro de la organización a la cual pertenecemos. La gente nunca deja de pensar y hablar sobre las cosas que les afectan, es decir, su trabajo o su manera de ganarse la vida, y mientras menos información haya basada en hechos, más difusión habrá de la información errónea. Así que antes de optar por mantener algo en absoluto secreto, debes pensar: "¿Es realmente necesario?"

Por eso, los buenos gerentes evitan todo misterio en cuanto a su propio trabajo y hábitos laborales. Trasmiten toda la información posible. Se ponen a la disposición de su gente para contestar sus preguntas y discutir sus asuntos. Me acuerdo de haber hablado hace tiempo con una empleada de banco quien me decía cuanto respetaba a su jefe. Sus palabras exactas fueron: "Realmente me escucha".

Por supuesto que eso es una de las cargas que implican el administrar a otras personas: tenemos que escuchar sus problemas. Déjame recordarte que: UN PROBLEMA COMPARTIDO ES UN PROBLEMA DIVIDO POR LA MITAD.

Debo mencionar también aquel estilo de administración que se conoce como el "palomazo". Se refiere al gerente que entra volando a la oficina, agita sus brazos, deja caer un depósito de "aquello", y sale volando. *La administración de paloma debe evitarse.*

Antes de dejar el tema de la comunicación cara a cara, hay que hacer mención de las juntas. Mi opinión personal es que mientras menos juntas haya, es mejor. El número ideal de personas que deben asistir a una junta es una sola (o dos, en circunstancias excepcionales). Si hay que incluir a muchas personas, no sería mala idea quitar todas las sillas del cuarto. Es impresionante qué tan rápido se puede ir al grano si nadie está sentado. Me entregaron el siguiente aviso hace poco. Es de lo más pertinente.

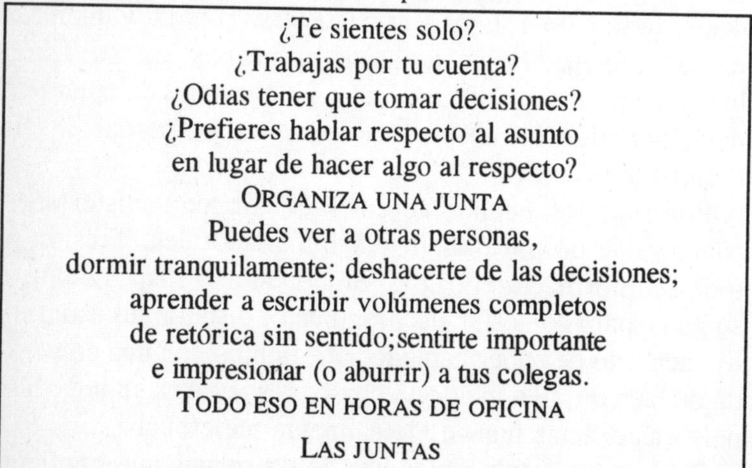
¿Te sientes solo?
¿Trabajas por tu cuenta?
¿Odias tener que tomar decisiones?
¿Prefieres hablar respecto al asunto
en lugar de hacer algo al respecto?
ORGANIZA UNA JUNTA
Puedes ver a otras personas,
dormir tranquilamente; deshacerte de las decisiones;
aprender a escribir volúmenes completos
de retórica sin sentido;sentirte importante
e impresionar (o aburrir) a tus colegas.
TODO ESO EN HORAS DE OFICINA
LAS JUNTAS
Una opción práctica al trabajo

LA COMUNICACIÓN

Ahora bien, vamos a cambiar nuestro tema un momento para tratar la manera en que la gente se comunica entre sí. La comunicación, como tantas cosas que hemos discutido hasta este punto, no se relaciona solamente con el ambiente empresarial sino también con el mundo social, el deportivo y el del descanso también. ¿Qué dicen las personas cuando se conocen? ¿Son positivas o negativas? ¿Critican a sus gerentes y se quejan de ellos y de su organización, o se comunican con un estilo positivo?

Desde la perspectiva de los negocios, un grupo de personas negativas puede convertirse en un grupo de personas no productivas, y esa negatividad puede empezar a menudo con una sola persona. Es el ejemplo característico de la manzana podrida. Sólo se necesita una para pudrir a las demás.

Así es con los seres humanos. Sólo se necesita una persona con una actitud destructiva para contagiar y destruir a las demás.

Además, puedes estar absolutamente seguro de que un equipo negativo no es un equipo motivado.

Por eso es fundamental que todos los gerentes y los líderes comprendan, como ya hemos dicho, el poder de lo negativo, y que también entrenen y eduquen a su gente respecto al poder y los horrores de una actitud negativa.

Podemos estar seguros de esto: si siendo gerentes no podemos reconocer la importancia de un ambiente positivo, jamás podremos alcanzar los resultados que esperamos.

LA COMUNICACIÓN POR ESCRITO

Ya hemos afirmado que la desintegración de la comunicación es la causa principal de la mayoría de los conflictos mundiales. Aparte, hay un segmento dentro de este tema tan vasto que lleva consigo una responsabilidad significativa por la miseria que producen tales conflictos. Me refiero a la comunicación *por escrito*.

Ésta es la manera de comunicación más peligrosa. Cuando las palabras se juntan con el papel a modo de cartas, memos, facsímiles o incluso en el lugar de trabajo más refinado que existe hoy en día —la computadora— hay que tener mucho ojo. Más huelgas y problemas personales se han producido dentro de las compañías por la palabra escrita que cualquier otro factor por sí solo. La palabra escrita, en la mayoría de los casos, será recibida de manera negativa. Se encuentra abierta a la interpretación de las personas y a su modo de pensar, dado el hincapié puesto en ciertas palabras. Se puede interpretar una carta de maneras que nunca fueron intencionadas.

Por eso, mi súplica a todos los motivadores es que *nunca escriban nada que no sea una comunicación positiva para realizar una felicitación*. Si se trata de intercambiar información, hay que asegurarse de que la comunicación esté basada en hechos específicos.

Permíteme preguntarte antes que nada, si recibes una carta de un superior que critica algo que a lo mejor has hecho, ¿te motiva o te desmotiva? ¡Todos sabemos la respuesta! Aunque fuera justificada la crítica, eso no tiene mucho que ver. *Nos desmotiva.* Seguramente ése no fue el propósito de la carta.

Permíteme ofrecerte un ejemplo de la vida real: un vendedor recibió una carta de su jefe de ventas justamente antes de salir a enfrentar otro día de actividades laborales. Este vendedor era un individuo sumamente motivado y había recibido una capacitación que le enseñó cómo evitar una actitud perjudicial respecto a sus preocupaciones, tales como deudas que podrían llegar por correo, así que dejaba todos los sobres cerrados hasta el final del día. Sin embargo, aquí tenía una carta del jefe y la abrió, resultó ser una crítica de su trabajo.

Por supuesto que lo molestó. Entonces salió a su primera cita, no pudo vender nada (obviamente), y después fue a un café en donde redactó un borrador con su respuesta. Posteriormente tuvo otra cita, en donde tampoco tuvo éxito (obviamente), y entonces se fue a comer durante un largo tiempo para poder trabajar en el segundo borrador de su respuesta.

Entonces decidió que realmente debía ponerse en contacto con su jefe, así que canceló su siguiente cita. Hizo una llamada telefónica a su jefe y le dijeron que se había ido a un viaje de negocios dos días. Debo decirte que el vendedor no hizo nada esos dos días hasta que regresó su jefe. Esa no fue la reacción que esperaba el jefe de ventas a la hora de escribir la carta.

Por eso, si tienes que enviar una carta a cualquier miembro de tu equipo, debes asegurarte de que las noticias sean buenas. Si tienes malas noticias o si necesitas criticar a alguien, debes hablar con ellos directamente, o cuando menos por teléfono, para que tengan la oportunidad de responder. Así se puede discutir el asunto, tratarlo y aclararlo.

Claro que puedes decir después: "Te voy a escribir unas líneas sobre los puntos que discutimos para que ambos tengamos cuando menos un registro de nuestra conversación y para que no haya malentendidos". Ahora bien, puedo aceptar el hecho de que, legalmente, si tienes que despedir a alguien debes, por supuesto, darles un aviso por escrito; pero aquí no me refiero a eso.

CUIDAR LOS MEMORÁNDUMS

El memo interno es otra pequeña artimaña a la cual recurren algunos gerentes en lugar de comunicarse directamente. Aparte de consumir tiempo, un memo que critica a otra persona causará aún más angustia, porque el receptor se preguntará quién más lo ha visto.

Un gerente que se ve obligado a recurrir siempre a la comunicación por escrito nunca debe estar en posición de supervisar o administrar a otras personas. El mejor uso de la palabra por escrito es, por supuesto, el intercambio abierto de información.

HAY QUE INFORMAR CON CLARIDAD

Un plomero escribió alguna vez a las Autoridades de Normas para hacerles saber que había descubierto que el ácido clórhidrico es excelente para efectuar la limpieza de tuberías de drenaje bloqueadas. Las autoridades le agradecieron la carta y agregaron: "La eficacia del ácido clórhidrico es indiscutible; sin embargo, el residuo corrosivo no es compatible con la permanencia metálica".

¡El plomero volvió a escribirles para decir que estaba encantado por la información enviada! Como respuesta le enviaron otro mensaje que decía: "No vayas a utilizar el ácido clórhidrico: acaba con las tuberías".

La última historia que he escogido para este capítulo está tomada del mundo militar, porque se trata de un gran ejemplo de la desintegración de la comunicación verbal:

Un coronel mandó la siguiente orden a su asistente:

> Mañana por la noche, aproximadamente a las 20:00 horas, el cometa Haley será visible en esta región. Es un suceso que ocurre solamente una vez cada setenta y cinco años. Las tropas deben presentarse en el área de batalla con traje de faena, y yo les explicaré el significado de este fenómeno tan poco común. En caso de que llueva, no podremos ver nada, así que habrá que reunir a las tropas en el teatro, donde les mostrar películas del cometa.

El asistente le escribe al comandante de la compañía:

> Por orden expresa del coronel, mañana a las 20:00 horas cometa Halley aparecerá sobrevolando el área de batalla. E caso de que llueva, hay que sacar a los hombres en traje c faena para después marchar al teatro, en donde ocurrirá es fenómeno tan poco común, algo que se presenta solamen una vez cada setenta y cinco años.

El comandante de la compañía le escribe al comandante del pelotó

> Por orden expresa del coronel, en traje de faena a las 20:(horas mañana por la noche el fenomenal cometa Halley presentará en el teatro. En caso de que llueva, el coronel da

otra orden en el área de batalla, algo que ocurre una vez cada setenta y cinco años.

El comandante de pelotón le escribió al sargento del pelotón:

> Mañana a las 20:00 horas el coronel aparecerá en el teatro con el cometa Halley, algo que ocurre cada setenta y cinco años. Si llueve, el coronel ordenará al cometa entrar al área de batalla.

El sargento de pelotón le escribió al pelotón:

> Cuando llueva mañana a las 20:00 horas, el fenomenal general Halley, de setenta y cinco años, acompañado por el coronel, manejará su cometa a través del área de batalla, vestido en traje de faena.

RECORDATORIOS DE BOLSILLO

- No hay que ser un "gerente palomero"
- Motivar por medio de la línea telefónica
- Planear las buenas noticias
- Reducir el número de juntas
- Impedir los rumores, dejando de lado los misterios
- Enseñar el poder de lo negativo
- Escribir siempre de manera positiva

"PALABRAS SABIAS"

Si criticar fuera premiado, algunos se harían ricos rápidamente.

CAPÍTULO 13

La crítica motivadora

Las personas con la responsabilidad de supervisar a otros tienen una gran cantidad de cosas que controlar, en especial sus sentimientos personales acerca de sus subordinados. Los gerentes y los supervisores son, por supuesto, seres humanos y tienen sus preferencias y sus aversiones, tanto como los demás. Un gerente efectivo y motivado siempre se asegura de que sus sentimientos con respecto a sus subordinados no sean evidentes. Es muy obvio que su rendimiento es afectado cuando un empleado siente que no le cae bien a su jefe directo, o que lo trata injustamente, y en algunos casos, pueden sentir que otra persona recibe un trato preferencial.

De vez en cuando es necesario darle un ajuste de perspectiva a una persona o criticarle para poder obtener el desempeño y los resultados que merecemos. A lo mejor la tarea más desagradable que puede tener un gerente es despedir a alguien. Personalmente, conozco a algunos gerentes que se han puesto extremadamente enfermos por la pura preocupación y presión de correr a alguien. Sin embargo, para poder impulsar el desarrollo de la gente, ocasionalmente es necesario que un gerente critique a un empleado.

Charles Schwarb, uno de los industriales más exitosos en la historia estadounidense, fue citado a juicio por decir: "Todavía no encuentro al hombre que no desempeñe mejor su trabajo o que no realice un mayor esfuerzo, con un espíritu positivo si no es a partir de un espíritu de crítica."

Ya hemos hablado del tremendo crecimiento y los avances del comportamiento humano que se pueden lograr con los elogios, la aprobación y el reconocimiento. Ahora bien, vamos a ver cómo podemos alcanzar el crecimiento y un desempeño aceptable mediante la *crítica motivadora.*

POR QUÉ DEBEMOS CRITICAR

Vamos a empezar con la sencilla pregunta de por qué un gerente debe criticar a otro empleado. Por supuesto que no tiene que ver con un gusto o disgusto personal. En primer lugar, debe ser el resultado de un sentimiento de preocupación. Segundo, es el deber de un gerente guiar a sus empleados, no solamente hacia un desempeño que les ayude a conservar el trabajo, sino también que les ayude a alcanzar sus metas, y, por supuesto, que sostenga el espíritu de equipo.

Por eso, el propósito de la crítica no es, y nunca debe ser, destructivo, sino constructivo. Para poder lograr esa respuesta debes hacerte las siguientes preguntas: "¿Qué es exactamente lo que quiero enderezar?", y "¿cuál es exactamente la respuesta que quiero obtener al final de esta junta o entrevista?" En otras palabras: "¿Cuál es mi meta, mi propósito o mi resultado final?"

Por lo mismo, los puntos que deben discutirse por el gerente serán siempre constructivos y no destructivos.

Reitero este punto porque hay mucha crítica que no es constructiva, sino por lo contrario, es absolutamente *destructiva*. No se necesita mucho cerebro para encontrar un defecto. Se necesita mucho más cerebro para encontrar una mejor manera de hacer las cosas.

Ahora bien, qué bueno que el gerente sepa qué es lo que quiere comunicar; sin embargo, también hay que tomar en cuenta el hecho de que se está comunicando con otra persona y que esa otra persona también posee aquel activo tan maravilloso conocido como el cerebro humano. Por eso, para poder transmitir nuestro mensaje, hay que asegurarnos de que no hemos cerrado la mente con la que pretendemos comunicarnos. Al comienzo de una junta, hay que abrir la mente de la otra persona para que sea receptiva a tus ideas. Debe ser capaz de escuchar, absorber, discutir, para luego reaccionar al mensaje que se está trasmitiendo.

En muchos casos, el gerente se ve obligado a criticar a un empleado por algunas acciones que se han convertido en una fuente de irritación. A veces un empleado actúa de manera irresponsable o, peor aún, con la intención de romper alguna regla o violar algún hábito laboral.

Algunos gerentes pierden la cabeza y reaccionan de inmediato. Critican al subordinado en un estado de furia. No lo hagas. Ocasionalmente puede funcionar, sin embargo, invariablemente destruye las relaciones laborales y resultará en una pérdida de respeto drástica.

Encontré alguna vez al director de administración de una compañía de construcción, quien cometía errores de comunicación francamente tontos. También sufría de la administración *palomera*, carecía de valor moral, y había sido exitoso en la destrucción de la confianza de sus supervisores y de su capataz hasta el punto en que nadie era capaz de tomar una decisión. Eso, como bien podemos imaginar, empeoró una situación que de por sí era difícil. A lo mejor la falta de valor moral era su defecto más desagradable.

Otros gerentes, a lo mejor como resultado de la frustración o porque no tienen agallas, tienen grandes dificultades para hablar con el individuo que les está causando problemas, y por eso acaban hablando con casi todos los demás. Eso, obviamente, es un estilo de administración injusto.

LA CRÍTICA MOTIVADORA QUE TIENE ÉXITO

Ahora bien, vamos a recorrer las nueve etapas de una exitosa crítica motivadora:

Etapa 1. Hay que escoger el momento adecuado con mucho cuidado. Puede trastornar a una persona el hecho de que lo critiquen, incluso por un errorcillo, cuando está a punto de abordar una tarea importante. Permíteme hacerte la siguiente pregunta: ¿Es correcto criticar a alguien el viernes por la tarde, justamente antes de que se va a su casa el fin de semana, cuando tendrá poca oportunidad de rectificar los puntos que le has mencionado?

Etapa 2. Tu discusión debe ser en privado. Conoces la regla: dar elogios en público; castigar en privado. En ninguna circunstancia alguien debe alcanzar a oír tu discusión, sea éste un colega, un subordinado o un superior. Esto es cosa de sentido común, sin embargo, es un error que cometen muchos gerentes, que después se preguntan por qué han recibido una reacción hostil. En la mayoría de los casos esa hostilidad es el resultado de que la persona que está siendo criticada no está escuchando de verdad, sino preguntándose qué estarán pensando sus colegas. Eso resulta en que tiene que oponer resistencia, una vez más, para el beneficio de los que están escuchando. Es como si estuviera actuando para un público. Por eso, la regla dorada aquí es: reconvenir siempre en privado.

Etapa 3. Antes de mencionar los puntos constructivos de la crítica, debes asegurarte de que la persona sea receptiva; eso se logra sencillamente dejándole saber que le tienes mucho aprecio y con una lista de todas las cosas que hace bien. Eso puede ser plausible y, tal y como hemos discutido en los capítulos previos, un buen gerente siempre busca sorprender a las personas mientras hacen bien las cosas. Por eso esta etapa es, hasta cierto punto, motivadora; sin embargo, logra que la persona se encuentre preparada, con la mente abierta para escuchar y discutir sus problemas de manera racional. Hay que informarle respecto a sus puntos fuertes y recordarle sus éxitos y logros. Todo el mundo tiene algunos.

Etapa 4. Establecer contacto visual con la persona en cuestión. El gerente incapaz de darle la cara a otra persona pierde credibilidad, y debilita la fuerza de su mensaje. Algunas personas miran por la ventana o a los pies y, como consecuencia, debilitan drásticamente lo que tienen que decir.

Etapa 5. Hay que decir la verdad. Eso no significa que los gerentes mientan normalmente, sin embargo, lo que sí pasa a menudo es que se les dificulta decir las cosas tal y como son. Creen que su subordinado tiene una imaginación dotada para captar mensajes vagos. Dependen demasiado de las insinuaciones, y esperan que la otra persona entienda el punto central sin decir nunca cuál es. Por eso, hay que decir las cosas como son. Hay que ser claros. Si el asunto está relacionado con una característica personal, por ejemplo, si la apariencia de la persona es decepcionante, el gerente sensible lo podrá señalar. Todos conocemos la expresión que dice que sólo un amigo cercano es capaz de decirnos la verdad, y así debe ser con un buen gerente motivado y sensible.

Recuerdo una ocasión en la que comí un pan de dulce en un tren. Después tomé un taxi y fui a una junta de negocios. Después de salir de la junta y entrar al baño fue cuando noté que tenía un poco de crema sobre la barbilla. ¡Ojalá y alguien me lo hubiera dicho!

Etapa 6. Nunca debemos criticar a una persona, sino su comportamiento. Uno debe tener mucho cuidado en eso de no criticar a la persona misma, particularmente en lo que se puede describir como el ámbito de "valores y creencias".Hay momentos que, con la crítica al comportamiento, se torna necesario mencionar la causa de ese comportamiento, tal y como mencionamos en la etapa anterior. He aquí el punto crítico del proceso de comunicación. Obviamente, es el comportamiento lo que da los resultados que queremos cambiar o mejorar, y es en este ámbito en donde debemos ser absolutamente específicos y claros.

Etapa 7. Después de haber tocado aquellos puntos que son centrales a la crítica, el gerente debe subir nuevamente el ánimo de la persona en cuestión. Eso se logra fácil y eficazmente con la reafirmación de sus puntos fuertes. Hay que deletrearlos una vez más con claridad. Debemos acordarnos siempre del propósito de la crítica. Nuestro objetivo es terminar la junta ya con un individuo que ha escuchado y aceptado la crítica, y que se ha dicho a sí mismo: "Voy a enderezar lo que estaba mal". El respeto y la lealtad de ambas partes deben seguir intactos.

> ***El propósito de la crítica no es destruir la confianza, la imagen propia y la fe en sí misma de una persona, sino construir sobre el futuro.***

Todo el mundo hace bien algunas cosas. Todos tenemos buenas cualidades, y son éstas las que hay que reafirmar.

Etapa 8. Ahora bien, hay que hacer una cita con la persona que acabamos de criticar para volver a revisar los puntos que se han discutido. En algún momento, también puede ser necesario incluir un resumen de los puntos mencionados en una carta para que ambas partes tengan un registro de la junta, y para que no haya malentendidos. La fecha de esta revisión es importante, porque demuestra el compromiso que tiene el gerente de darle seguimiento a su crítica, mientras a la vez le da al subordinado una meta hacia donde apuntar.

Etapa 9. La etapa final es, por supuesto, el elogio que debe pronunciar el gerente para que la persona criticada se enderece. Ya hemos regresado a aquel gran principio de la administración: *recibirás más de lo que has premiado*. El elogio es un premio para un empleado.

Personalmente, he descubierto que cuando es necesario realizar una crítica constructiva, es importante hacer hincapié en el hecho de que lo que estoy diciendo forma parte de mi propia opinión, y de que podría tener razón o bien podría estar equivocado.

LA PROBLEMÁTICA DEL DESPIDO

Poco antes de terminar con el tema de la crítica, tocaremos el hecho de que, desafortunadamente, el gerente motivado tendrá que despedir a algún empleado de vez en cuando.

Una vez que se haya tomado la decisión, no debe ser diferida. En la mayoría de los casos, por el bien del equipo, el despido debe ocurrir tan rápido como sea posible. Hay, por supuesto, excepciones a esta regla por las cuales la gente puede establecer un periodo de aviso. En la mayoría de los casos, éste es extremadamente peligroso y será desmotivador para el resto del equipo. Por eso es mejor para todos los involucrados que cuando se haya tomado la decisión, la persona en cuestión deje la compañía de inmediato.

Obviamente, cualquier gerente odia tener que decirle a un empleado que ya no se requieren sus servicios. Sin embargo, es una de las cargas y responsabilidades por las cuales son debidamente premiados los gerentes. Cuando se despide a un individuo, el gerente debe cuidarse de no destruirlo. Jamás debe empeñarse en acabar con la imagen propia, confianza o creencia en sí misma de la persona en cuestión. Una vez tomada la decisión de despedirlo, es, por supuesto, necesario darle razones justificables y lógicas. Por eso, debemos comunicarle la verdad. En algunos casos, sin embargo, no tenemos por qué decirle toda la verdad.

Si un individuo se enoja o se pone nervioso, realmente no debe importarle al gerente. Debe tratarlo como un ejercicio "y a mí, qué". Es mucho mejor que una persona salga con sentimientos de enojo y, con una actitud, creencias y confianza intactos para que pueda encontrar otro trabajo, a que esté sumamente desmotivado como para buscarlo.

Sir John Harvey Jones, muy aclamado por ser uno de los gurús de administración más importantes del Reino Unido, afirma: "A veces es necesario despedir a la gente. Lo más importante es entender que no tienes derecho a dañar la confianza en ella misma. Es muy difícil evitarlo, sin embargo, debemos tomar en cuenta que no tenemos el derecho de arruinarle la vida a un hombre por un mero propósito empresarial."

Yo mismo suelo decir lo siguiente: "Oye, lo siento mucho. Eres una persona muy capaz, sin embargo, no está funcionando la química. Tendrás que culparme a mí". Prefiero tomar la responsabilidad de ser sujeto a la aversión de esa persona que la responsabilidad de mirarlo y pensar que le he arruinado la vida.

RECORDATORIOS DE BOLSILLO

Para criticar a alguien *sin* desmotivarlo, debemos:

- Escoger el momento adecuado cuidadosamente
- Discutir el asunto a solas
- Hacerle saber que es una persona valiosa
- Mirarlo a los ojos
- Decirle estrictamente la verdad
- Criticar el comportamiento en lugar de la persona
- Reafirmar los puntos fuertes de la persona
- Fijar una fecha de revisión

¡Acuérdate de ofrecer elogios cuando haya mejoría!

"PALABRAS SABIAS"

Dar elogios hipócritas es peor que no darlos.

CAPÍTULO 14

Triunfar gracias a la gente

Como he dicho varias veces, el éxito se logra solamente gracias a la gente. Eso significa que un gerente o un supervisor obtiene resultados no solamente por sus propios esfuerzos, sino porque logra construir un equipo con cohesión capaz de producir logros aún más grandes.

Ya hemos discutido el liderazgo y la comunicación, y hemos visto los principios de estilo efectivos para el liderazgo tanto como la importancia de la comunicación motivadora. En este capítulo, quiero repasar antes que nada cómo se dan instrucciones para obtener resultados. Después trataremos la delegación efectiva de responsabilidades.

DAR INSTRUCCIONES

Cada supervisor y gerente tiene que darles a otras personas instrucciones y órdenes de vez en cuando. A veces se presenta el caso de que las instrucciones se den durante conferencias o seminarios en donde los altos gerentes tienen que plantear una nueva estrategia, métodos de operación y, en muchos casos, cambios de política interna o de hábitos laborales. En mi libro titulado *Speak for Yourself*, son cubiertas con mucho más detalle las técnicas que hay que implantar en estas ocasiones, así que no haré el intento de repetir esa información aquí. En su lugar me enfocaré al pensamiento subyacente al desarrollo de la voluntad, el entusiasmo y, por supuesto, la motivación necesaria para dominar los mensajes que se comunican y llevarlos a la práctica. Eso es tan importante como dar las instrucciones o las órdenes mismas.

Fui invitado a dar una presentación para un seminario en una de las compañías de seguros más importantes del Reino Unido. Habían reunido a todos los altos ejecutivos e iban a lanzar una nueva estrategia para la compañía. El diseño de la estrategia había tomado alrededor de dos años y había costado mucho en términos de investigación y desarrollo. La organización de detalles que se desplegó fue la más impresionante de las que he tenido la experiencia de presenciar.

Cada parte del nuevo plan había sido pensada con diligencia antes de la fecha del lanzamiento y de la presentación, excepto el factor personal. Habían preparado sistemas, trámites y estructuras organizacionales, sin embargo, se habían olvidado por completo de las reacciones de la fuerza laboral. Habían soslayado el tremendo miedo y la falta de confianza provocados por la palabra "cambio", aparte de la necesidad de desarrollo de miembros clave del equipo profesional para convertir el programa en un éxito. En fin, faltaba por completo la motivación que se requería para que los empleados implantaran la nueva estrategia exitosamente y la reacción era negativa en lugar de positiva. Ojalá y los gerentes se hubieran dado cuenta de la importancia del *entrenamiento para el desarrollo personal*.

Mi siguiente ejemplo trata de una empresa importante dentro de la industria de alimentos y bebidas. Esta compañía también decidió que ya era hora de cambiar su estructura operativa de una línea de comunicación vertical a una aproximación más lateral. La nueva estrategia fue lanzada entre los altos ejecutivos. Unos tres meses después, hubo que repetir el ejercicio completo precisamente al mismo grupo. Se descubrió rápidamente que los mensajes y los cambios que se habían comunicado no estaban siendo considerados, y que no formaban parte alguna de las operaciones.

En este caso, la estrategia no había sido comunicada con claridad la primera vez, y además, tal y como el ejemplo anterior, había una falta total de motivación. Los ejecutivos salieron del primer encuentro sin lo que se describe mejor como el impulso profundo para poner en práctica los cambios.

La gente debe ser inspirada y motivada por las nuevas ideas, estrategias o mejorías de rendimiento. Mucho de mi trabajo tiene que ver con impartir discursos, conferencias, convenciones y seminarios con el propósito de ayudarle a la gente a sentir confianza, creer en sí misma y motivarse para seguir adelante. Las instrucciones y órdenes no necesariamente deben girar alrededor de un cambio de práctica laboral. Sin embargo, en cualquier circunstancia, el gerente debe utilizar la comunicación verbal para impartir tareas o responsabilidades que abran el camino hacia una meta colectiva de la organización.

LA COMUNICACIÓN MOTIVADORA

Vamos a recorrer seis ideas acerca de cómo dar instrucciones y órdenes que *sí* den resultados, que *sí* aumenten el "anhelo de triunfo", y que formen un estilo motivador de comunicación administrativa. Permíteme volver a hacer hincapié en que el proceso es verbal y no escrito, sin embargo, se puede dar un seguimiento después por alguna manera escrita.

1. Hay que aclarar cuál es la orden o la instrucción. Parece obvio, lo sé, sin embargo, hay demasiadas personas con autoridad que no saben describir de manera sencilla exactamente lo que se requiere. A menudo comprenden tan bien la situación ellos mismos, que suponen que los demás saben de qué están hablando.
2. ¿Qué tal si pedimos que la gente repita nuestras instrucciones con sus propias palabras? Muchas personas, a la hora de recibir una instrucción, no quieren admitir el hecho de que no han entendido plenamente todo lo que se ha dicho o lo que se espera de ellos, particularmente si sienten que su gerente es impaciente.
3. Hay que animar a la gente a opinar y a hacer preguntas. No hay que dar la impresión de que te irritan o te molestan las preguntas. Cuando permitimos que la gente nos haga preguntas, aumentamos su integración y participación. Eso también reduce el riesgo de incurrir en malentendidos, y desarrolla oportunidades para aclarar el asunto. "¿Cómo te sientes acerca de...?" "¿Qué piensas?" "¿Tienes algunas ideas que aportar?"
4. Debemos intentar hacer preguntas en lugar de mandar. El gerente motivador sabe que obtendrá más éxito de la gente cuando pide algo amablemente en lugar de dar órdenes. Por ejemplo, "¿Podrías enviar ese paquete hoy mismo, por favor?" en lugar de decir: "Quiero que ese paquete se envíe hoy mismo", o peor aún: "Envíalo hoy mismo".

"¿Podrías terminar ese informe antes del mediodía, por favor?" es mejor que: "Hay que terminar ese informe antes del mediodía". La manera en que pedimos que la gente haga cosas es la que marca la diferencia en la relación que tenemos con ella y el grado de cooperación que conseguimos. Cuando pedimos las cosas, también evitamos el resentimiento.

5. Siempre debemos explicarle al individuo el porqué del asunto. Eso puede consistir en una explicación breve. Cuando alguien comprende por qué hay que llevar a cabo cierta instrucción, su trabajo se torna más interesante y, además, le ayudará a comprender tu punto de vista con más efectividad. Una persona que comprende por qué está llevando a cabo cierta tarea tiene menos posibilidades de cometer un error.
   También se torna más comprometida y se involucra mejor, y cuando el trabajo o tarea ya no es necesario podrá ejercer su sentido común y dejar de hacerlo. Por otro lado, si no comprende la razón por la cual está haciendo el trabajo, seguirá haciendo ciegamente lo que le han dicho
6. Hay que darle seguimiento a las instrucciones. Mantenerse en contacto es uno de los métodos más exitosos de asegurar que los pequeños problemas no se conviertan en grandes problemas. Eso también tiene la ventaja adicional de que la gente anticipará el momento en que podrán darte información acerca de su progreso, fomentando así un resultado positivo y exitoso.
   A la gente no le gusta darle malas noticias a su gerente, así que cuando saben que se les va a pedir que discutan el asunto, su compromiso y determinación de tener

éxito serán aún más fuertes. En ciertas situaciones hay que emplear un manejo cuidadoso. Algunas personas carecen de confianza, otros son muy sensibles o, al otro extremo, se creen demasiado. A lo mejor será necesario convencer a estas personas de que la idea o razón detrás de la instrucción fue suya. Esta conversación puede proceder así: "¿Cómo crees que debemos manejar esto?" Y ya que hayan contestado, puedes responder: "Pensé que dirías eso" o "Yo sabía que eso fue lo que estabas pensando en realidad".

LA DELEGACIÓN

El éxito se obtiene gracias a la gente. Sin duda, los grandes líderes y gerentes del mundo tienen cuando menos dos cosas en común. En primer lugar, el anhelo de emplear a personas con habilidades o conocimientos más amplios que los que ellos mismos poseen, y segundo, su habilidad para desarrollar a las personas y convertirlas en líderes a su vez. En otras palabras, buscan la manera de trasmtir sus conocimientos a otras personas. El desarrollo de la gente se logra con la delegación cuidadosa y planeada de responsabilidades y deberes. Ningún gerente puede llegar muy lejos si intenta llevar a cuestas toda la carga de la administración. Hay cuatro etapas en la delegación de responsabilidades exitosa:

1. Asumir que las personas que trabajan para ti tienen habilidades. Un gerente debe partir de este supuesto. Debe tener confianza y fe en sus subordinados. Demostrando que confía en su equipo profesional, logrará que la mayoría de las personas asciendan al mismo nivel de habilidad que su gerente les proyecta. Ya hemos dicho

que "lo que genera el éxito no es la habilidad sino el anhelo". Las habilidades se aprenden, y cuando un gerente demuestra su propia confianza en un individuo, aumentará a su vez el anhelo de éste, aunque de momento tenga habilidades limitadas.

2. A la hora de delegar un trabajo, hay que dejar tan pocas dudas como sea posible dentro de la mente del empleado acerca de lo que se espera de él. Hay que decirle:
   - Qué hay que hacer;
   - Por qué es necesario;
   - Cuándo debe terminar.
3. Sin embargo, no hay que decirle cómo hacerlo. He aquí el secreto de la delegación de responsabilidades exitosa. Cuando le dices a alguien exactamente cómo quieres que lleve a cabo una tarea, eliminas toda su creatividad. Su trabajo se torna totalmente aburrido, porque no hay ningún desafío y no tiene que desarrollar ninguna capacidad especial. Cuando no les dices cómo hacer las cosas sí creas en cambio, un desafío. Empiezas a estimular el cerebro. Sin duda resultará en algo de estrés o emoción, sin embargo, le dará al individuo la oportunidad de pensar por su propia cuenta. A lo mejor dirás: "Mis tareas son demasiado importantes como para arriesgarme a que se cometan errores". En tal caso, puedes pedirle a la persona que trabaje durante un tiempo sobre la mejor manera de atacar el problema, y que consulte contigo antes de proceder con el asunto. Eso, obviamente, te da una red de seguridad, y a lo mejor ¡una noche menos sin dormir!

4. Por supuesto que al final, el gerente que sabe motivar siempre dará el crédito y un elogio generoso a la persona que hace bien su trabajo.
Si, por otro lado, esta persona echa todo a perder (lo cual es poco probable si se han respetado las etapas anteriores), hagas lo que hagas, no vayas a hacer un escándalo. Él o ella sabrán que lo han hecho mal. También les faltará confianza y es casi seguro que, si eres un líder motivador, no volverán a cometer el mismo error. Sin embargo, la experiencia habrá sido educativa y gracias a ella tus empleados serán un activo mejor y más importante en el futuro.

RECORDATORIOS DE BOLSILLO

Las cuatro etapas para una delegación exitosa de responsabilidades son:

- Partir de que tienen las habilidades necesarias
- Sin embargo, explicar la tarea
- No hay que explicar en detalle *cómo* debe hacerse
- Darle crédito a quien lo merece

"PALABRAS SABIAS"

Nunca podrá ser un gran líder la persona que no siente felicidad genuina a la hora del éxito de quienes trabajan por él o de los que han trabajado para él.

RICHARD DENNY

CAPÍTULO 15

Motivación en el hogar

El mundo en que vivimos y trabajamos es un mundo de personas. Durante todo este libro me he enfocado a los ideales de comunicación motivadora de persona a persona tanto como en los principios de la automotivación, con el objetivo común de alcanzar más éxito y felicidad.

Conforme la gente va ascendiendo profesionalmente, se espera que se comprometan con más vigor, que sean leales y trabajen con ahínco para su empleador. Para muchos, el trabajo lo absorbe todo y, trágicamente, se vuelven tan dedicados y comprometidos con la compañía y sus responsabilidades empresariales que crean caos y destrucción dentro de su propio ambiente hogareño. Para aquellos que trabajan por su cuenta, su propio negocio llega a abarcarlo todo, y se apodera por completo de sus vidas.

¿Es cierto que el propósito del trabajo es el de ser un medio para alcanzar ciertos fines? No es un fin en sí mismo. Trabajamos para obtener dinero, que a su vez sostiene un estilo vital que nos lega el placer o la felicidad que todos buscamos.

Lo que disfrutamos en la vida sólo parece ser importante cuando lo compartimos con otras personas. La felicidad y el placer en realidad sólo provienen de otras personas. Sin embargo, muchos ejecutivos y gente con grandes vuelos en el mundo de los negocios destruyen inconscientemente aquello que se empeñaron en lograr.

Todos conocemos demasiado bien el alto índice de divorcios en la sociedad occidental. Hay, por supuesto, una infinidad de razones por las cuales es más probable que un matrimonio se separe en esta década que hace treinta o cincuenta años. En parte se debe al debilitamiento del estigma asociado con la disolución de la vida familiar, la facilidad relativa con que se puede obtener un divorcio, y a las presiones y tentaciones de la vida en el siglo XX.

Sin embargo, no es probable que en el futuro cercano haya un descenso en el índice de exigencias impuestas en las personas que quieren ser exitosas mediante sus propios esfuerzos empresariales o de las compañías para las cuales trabajan. He discutido este punto con muchos ejecutivos y es muy triste saber cuántos de ellos se desquician y sorprenden cuando su propio matrimonio falla. Inicialmente suelen culpar a su pareja, sin embargo, esta amargura se convierte en remordimiento y una culpa terrible.

Hablan de lo duro que trabajaron, de las noches y fines de semana que dieron sin titubear a la compañía, la dedicación y compromiso que dieron para poder alcanzar un ascenso y un sueldo más alto. Todo eso, con el único propósito de proporcionar una casa más grande o más cómoda a su familia, más lujos para el hogar, una educación para sus hijos y seguridad financiera para su pareja. Lo hicieron todo por la pareja. Sin embargo, no parecen entender que la felicidad y el placer no surgen de todo eso, sino de compartir las cosas. Debemos tener el poder de la empatía y de ponernos en el lugar de nuestra pareja.

LA SALUD Y EL BIENESTAR

Los consultorios médicos de toda Inglaterra están repletos de pacientes que no están enfermos, sino más bien son solitarios y se sienten deprimidos. Son personas sin esperanza, sin nada que esperar, nadie con quien compartir sus pensamientos y sentimientos más íntimos, que se sienten desgraciados y aislados.

Se trata de enfermedades psíquicas en lugar de enfermedades o quejas corporales, y suelen ser consecuencia directa de una perspectiva mental poco alentadora. Las personas felices y motivadas que están luchando para ser exitosas están mucho menos propensas a visitar un consultorio médico. Las estadísticas demuestran que las personas que trabajan por su propia cuenta tienen muchas menos probabilidades de caer enfermas o visitar al médico que las personas que son empleadas por otros. ¿Por qué será? Uno podría concluir sencillamente que aquellas personas que trabajan por su propia cuenta no pueden darse el lujo de estar enfermas, y tiene que haber un elemento de verdad allí.

Otra vez, igual que con los demás puntos, hay excepciones a la regla. Una persona que continuamente lucha por el éxito y que trabaja noches y fines de semana se encuentra con una presión enorme y podría ser más susceptible a sufrir enfermedades cardiacas que una persona que vive con más tranquilidad.

LOS ADICTOS AL TRABAJO

Algunas personas justifican su perspectiva de adicción al trabajo como algo que hacen para el beneficio de su familia.

Sin embargo, en muchos casos, están luchando por su propia gratificación. Entonces se topan demasiado tarde con la miseria, la soledad y la desesperación de no tener nadie con quien compartir el éxito y los logros.

En realidad, la motivación es cosa de gente. Sin embargo, también tiene que ver con alcanzar el éxito individual tanto como el del grupo, equipo u organización. El éxito duradero o progresivo sólo se puede mantener mientras la base del propósito siga intacta. Ese propósito debe ser la gratificación humana producida por compartir.

Por eso, cualquier persona capaz de convencerse de que es un gran motivador en el trabajo y que sin embargo no es querido, respetado o apreciado en el hogar, termina siendo un fraude.

La persona que se adhiere a los principios de este libro en su vida profesional tendrá éxito. Sin embargo, aquellos que ignoren los mismos principios en el ambiente del hogar crearán caos y desdicha. Eso al fin y al cabo destruirá su capacidad de inspirar y motivar a los demás. Es el síndrome de "practicar lo que predico".

Debes preguntarte si ERES CAPAZ DE HACER ESO.

EQUILIBRAR EL TRABAJO CON EL DESCANSO

En la vida lo importante es el equilibrio y cómo mantenerlo. Poner demasiado peso en cualquiera de los dos lados de la balanza echará todo a perder. Ahora bien, vamos a recorrer algunos pensamientos e ideas para ayudarnos a mantener el equilibrio y nuestro propósito en la vida.

Cada persona que se encuentra en la afortunada posición de compartir su vida con otras personas (que pueden ser sus hijos, sus parejas u otros miembros de su familia) experimenta "la emoción de escuchar el sonido de los pasos de alguien cuando llega a la puerta cada noche".

Seguramente, esto será un motivador principal para todos nosotros: cuando los que están allí se emocionan al oírnos regresar a la casa. Eso es fácil de conseguir cuando a uno le importa, por supuesto, pero también cuando uno lo planea. Tal y como hemos dicho continuamente, si las personas gastan tanto tiempo planeando su trabajo, ¿por qué no planean también sus actividades en el hogar?

Puedo aceptar el hecho de que las personas planeen sus vacaciones, sin embargo, eso sólo ocupa dos o tres semanas del año. ¿Qué pasa con las otras cincuenta?

Hay que planear los acontecimientos del hogar. Pueden consistir en una visita a un amigo, un viaje automovilístico a provincia, el teatro, el cine, una comida en un restaurante. La lista de cosas que hacer es infinita. Puedes invitar a algunos amigos a la casa. Más que nada, debes encontrar oportunidades para compartir pasatiempos e intereses en familia. Hay una expresión maravillosa que nos dice: "Los miembros de una familia que juegan juntos, se quedan juntos".

Cuando creamos una vida motivadora en el hogar, es fundamental que las parejas discutan su metas. Deben decidir de manera colectiva quiénes son, y ambas partes deben involucrarse activamente en perseguir sus objetivos.

La pareja que ha estado en el trabajo debe reconocer qué ha pasado en el hogar. Eso puede sonar superficial, sin embargo, hay que tomarlo por su significado directo.

Debemos reconocer un nuevo peinado. Debemos reconocer las comidas que nos sirven. Debemos reconocer el trabajo que toma lugar en el hogar.

Puedo aceptar el hecho de que en muchos hogares hoy en día, dos personas salen a trabajar. Sin embargo, no son todos, y personalmente me encanta la descripción de aquella persona que se queda en casa como el "ejecutivo del hogar". Cuando los dos trabajan, obviamente hay que compartir las responsabilidades del hogar. Además, puedes jugar a que la primera persona en llegar a la casa piense en una bonita sorpresa para saludar a la otra cuando regresa.

Pasar demasiado tiempo los fines de semana con los pasatiempos o intereses personales de uno mismo debe evitarse. Puede ser terriblemente egoísta cuando uno de los dos miembros de la pareja pasa la mayor parte de su tiempo libre en su propio pasatiempo o interés.

La comunicación es tan importante en el hogar como en el trabajo. Hay que hacer el intento de crear oportunidades para que platiquen todos los miembros de la familia. Es tan importante que las familias puedan sentarse a conversar durante la comida. Lo más seguro es que mientras más tiempo y regularidad ocupen en hablar, menos probabilidades habrá de conflicto o lucha dentro de la unidad familiar.

Para aquellas personas que tienen la fortuna de ser padres, es fundamental no perder los sucesos de la crianza de sus propios hijos: los actos de la escuela, los días deportivos o alguna presentación escolar deben tener prioridad sobre cualquier actividad empresarial. ¿Cuántas veces hemos oído a padres decir que sus hijos crecieron tan rápidamente que perdieron la posibilidad de compartir sus placeres y éxitos con ellos?

Finalmente, el regalo más grande que un padre o madre puede dar a sus hijos es una comprensión del poder y los efectos dañinos del pensamiento negativo, y del poder y potencial del pensamiento positivo, es decir, el "sí puedes" en lugar del "no puedes". La persona que practica y cree en la motivación verdadera en el hogar tiene que ser más exitosa como un motivador en el trabajo.

RECORDATORIOS DE BOLSILLO

- La motivación no debe quedarse fuera del hogar
- Planear las metas colectivas
- Reconocer logros
- Evitar el egoísmo
- Comunicarse más, más a menudo
- Acordarse de que las prioridades deben incluir elementos de la vida casera

"PALABRAS SABIAS"

Temer menos, esperar más; comer menos, masticar más; quejarse menos, respirar más; hablar menos, decir más; odiar menos, amar más;
y todo lo bueno será tuyo.

PROVERBIO SUECO

RESUMEN

Este libro, *motivacional* como seguramente te habrás enterado ya, contiene algunos de los grandes principios y filosofías del éxito y de los logros personales. La motivación, tal y como empezamos por decir, requiere de una base de esperanza. ¿Qué es lo que quieres de la vida? ¿Un mejor trabajo? ¿Un nuevo hogar? ¿Buena salud? ¿Un matrimonio feliz? ¿La fama, la fortuna, el éxito?

Sea lo que sea, está dentro de lo posible y lo puedes conseguir. *Puedes tener cualquier cosa que quieras de verdad, sin embargo, no puedes tener todo lo que quieres.* Entre más pienses en esa afirmación, más aceptables y realistas serán tus metas genuinas.

Sea cual sea la crisis, dificultad o situación con la que te enfrentes, es vital mantener un enfoque singular respecto a tu meta mientras decides por la acción que hay que seguir. Muchísimas personas cometen el error de dejar que su ego o sus emociones se interpongan entre ellos y su meta. Algunos intentan sacar puntos, mientras otros sienten que tienen que comprobar o acentuar su autoridad.

Debes hacerte las siguientes preguntas cuando te enfrentes con situaciones difíciles:

- "Esta acción me llevará hacia mi meta, *¿sí* o *no*?"
- "¿Lo que digo o hago obtendrá el resultado que quiero de verdad?"

Piensa en las consecuencias antes de emprender la acción. Tus metas deben ser el propósito subyacente a cualquier acción emprendida.

La palabra "logro" también debe abarcar el éxito y, para poder lograr y obtener éxito, también debemos estar dispuestos a hacer lo que sea. Hay que comprender que ganar es un estado mental, y que es más importante que hacer algo o la acción misma. La voluntad debe preceder a la acción. Es fácil justificar la debilidad, rechazar las metas bajo el pretexto de que no son realistas o ser un cínico. Sin embargo, *puedes* tener cualquier cosa que quieras de verdad. Hay que tener la voluntad de hacer más y estar dispuesto a tomar cualquier acción honorable que se requiera. Inicialmente, puede haber algunos sacrificios, a lo mejor menos tiempo disponible para aliviar la tensión, sin embargo, dentro de muy poco disfrutarás los premios de los logros y el éxito.

A lo mejor una de tus metas intangibles es ser siempre y seguir siendo una persona motivada. Sí, puedes serlo: PARA SIEMPRE.

Debes consultar este libro con regularidad. Debes repasar sus listas de puntos centrales. Debes refrescar tu memoria en cuanto a sus principios, y acordarte de que, como una persona motivada, no puedes sino motivar a los demás.

Se puede

Alguien dijo que no se podía
y él respondió con una risita
que a lo mejor no se pudo; no obstante él sería aquél
que no lo diría hasta después de probarlo.

Así que se aplicó de inmediato, con una sonrisa
sobre la cara, cuando se preocupaba la ocultaba;
empezó a cantar mientras se aplicaba a lo
que no se podía hacer, y lo hizo.

Hay miles de personas que te dirán que no se puede;
hay miles que profetizarán el fracaso;
hay miles que te señalarán uno por uno
los peligros que te esperan en el camino.

Mas aplícate con una sonrisa;
quítate el abrigo y empieza ya;
sólo cantarás mientras atacas aquello
que no se puede hacer, y lo harás.

ANÓNIMO

SÍ ¡TIENES DENTRO DE TI LA HABILIDAD PARA HACERLO!

Acepta la responsabilidad de enfrentarte a las cosas tal y como son y asume la responsabilidad de cambiarlas. Disfruta de las responsabilidades de ser un motivador.

¡¡BUENA SUERTE Y ÉXITO!!

Motivar para ganar
Negativos de portada: *Andaluza Publicidad*
Negativos de interiores: *Reprofoto*
Esta edición se imprimió en Julio de 2003.
en *Editores, Impresores Fernández S.A. de C.V.*
Retorno 7-D Sur 20 No. 23 México D.F. 08500